JN083904

SDGs時代の
環境問題
最前線

「再エネ大国 日本」への挑戦

再生可能エネルギー+循環型社会が人口減少と温暖化の危機を救う！

山口 豊
+スーパーJチャンネル土曜取材班

太陽

（上）沖縄県宮古島の市営住宅に無償で設置されたソーラーパネルとエコ給湯器のシステム。遠隔操作でエネルギーの安定供給を計りながら、各家庭には豊富なお湯を安く届けることができる
（下）宮古島では、再エネ自給率を高めるため、市と民間が連携してソーラー発電と蓄熱の集中管理システムを導入。エネルギーの需給バランスの調整に成功している

（上）宮古島では水の安定供給のため地下ダムを建設し、約2400万tの水源を確保。水を電動ポンプで汲み上げて8400haの畑に撒いている。遠隔操作により、水汲みの時間を電力需要の少ない深夜にずらす計画が進む
（下）島の電気自動車（EV）は「動く蓄電池」として停電時の電力供給に貢献している

木材

（上）岡山県真庭市のバイオマス集積基地の面積は約2万5000㎡。未利用材から製材端材、樹皮まで年間約7万1000tを扱う
（下）真庭バイオマス発電所。最大出力1万kW、2万2000世帯分の発電能力があり、国内有数の規模を誇る

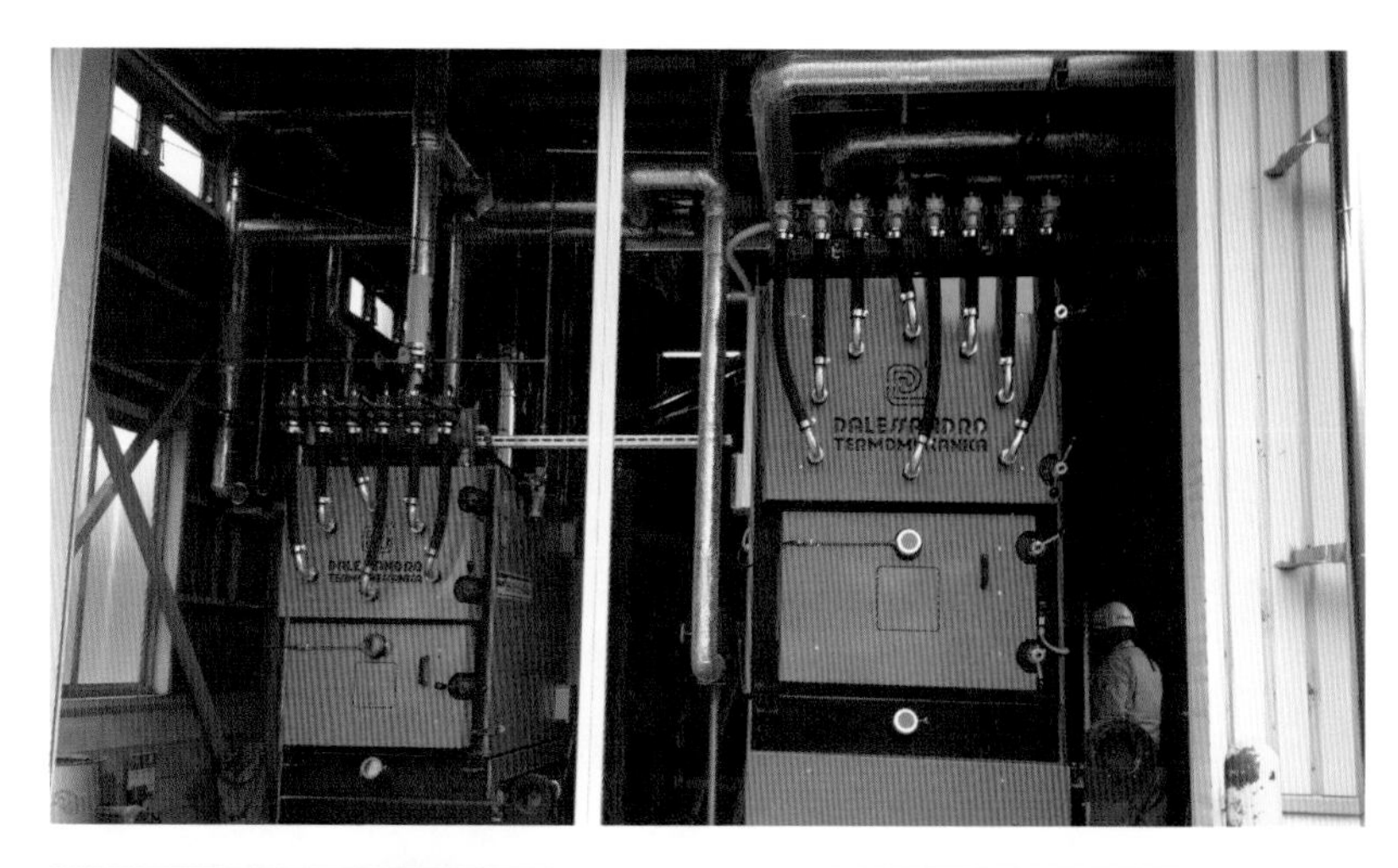

（上）岡山県西粟倉村の熱エネルギーセンターを支える木質チップボイラー。最大出力300kWと230kWの2基が備えられている。イタリア製。これで6か所の公共施設に熱供給できる
（下）岡山県西粟倉村では約20年ぶりに村立西粟倉保育園を新設。地元の木材を使い、冬は木質バイオマスの熱供給、夏は井戸の地下水による空調など、先進的な仕組みをふんだんに盛り込んでいる

（上）石徹白集落のシンボル、上掛け水車。落差3メートル、発電出力は2.2kW。総工費700万円。2011年に完成
（下）住民たちがお金を出し合って実現した石徹白番場清流発電所。最大出力125kW、総工費2億4000万円、売電収入は年間2400万円に上る

（上）福島県土湯温泉の地熱バイナリー発電所。コンパクトだが900世帯部分の発電能力がある
（下）沖縄の離島を中心に導入が進む可倒式風車は、台風が来る前に完全に倒し暴風に備えておける。
写真は引き上げている途中の風車

2019年10月上旬と30年前の海面水温の比較

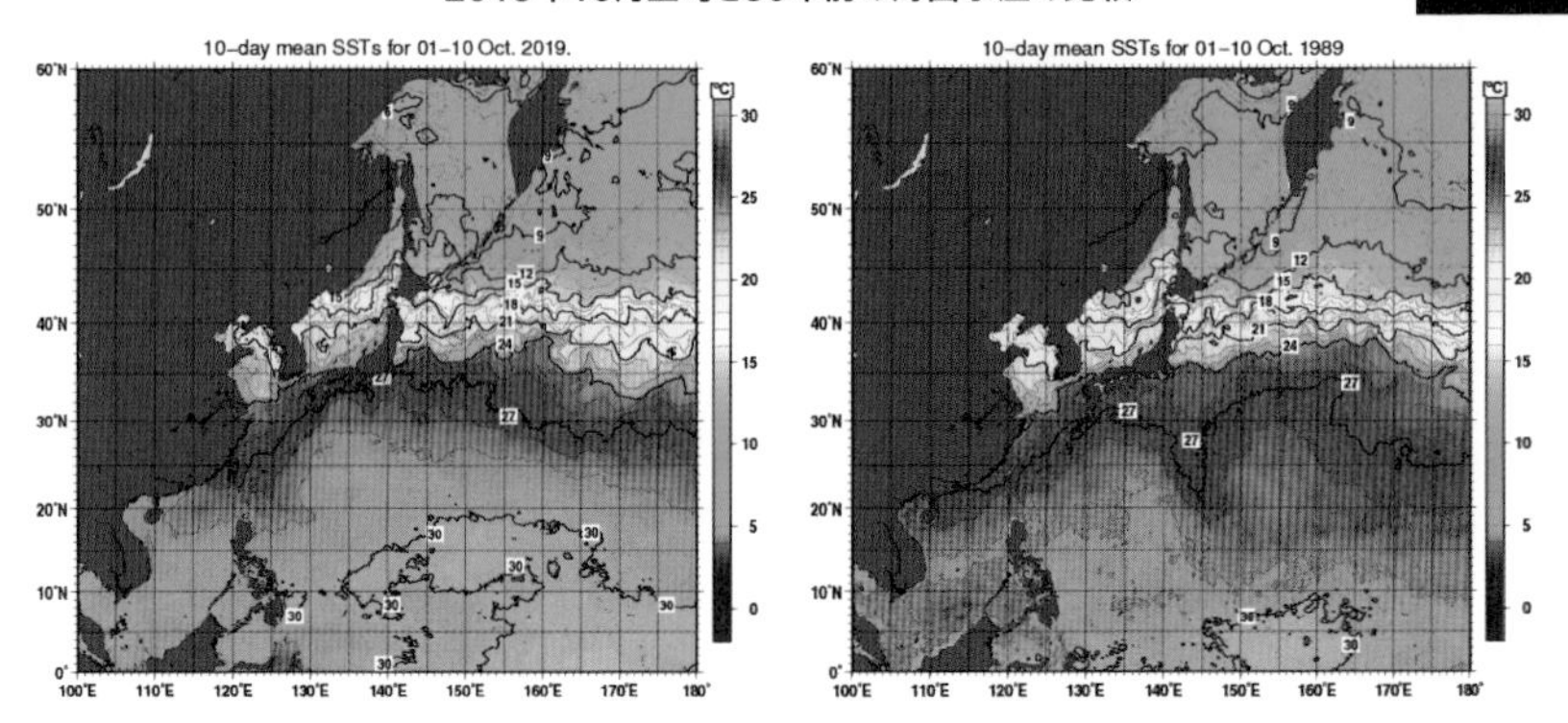

台風19号が発達した原因の一つには海水温度の上昇がある。日本近海の海面水温を 2019年10月上旬（左）と 30年前（右）とで比較すると、海面水温の高い部分が本州の南側まで迫ってきている（ピンクは30度の海面水温）

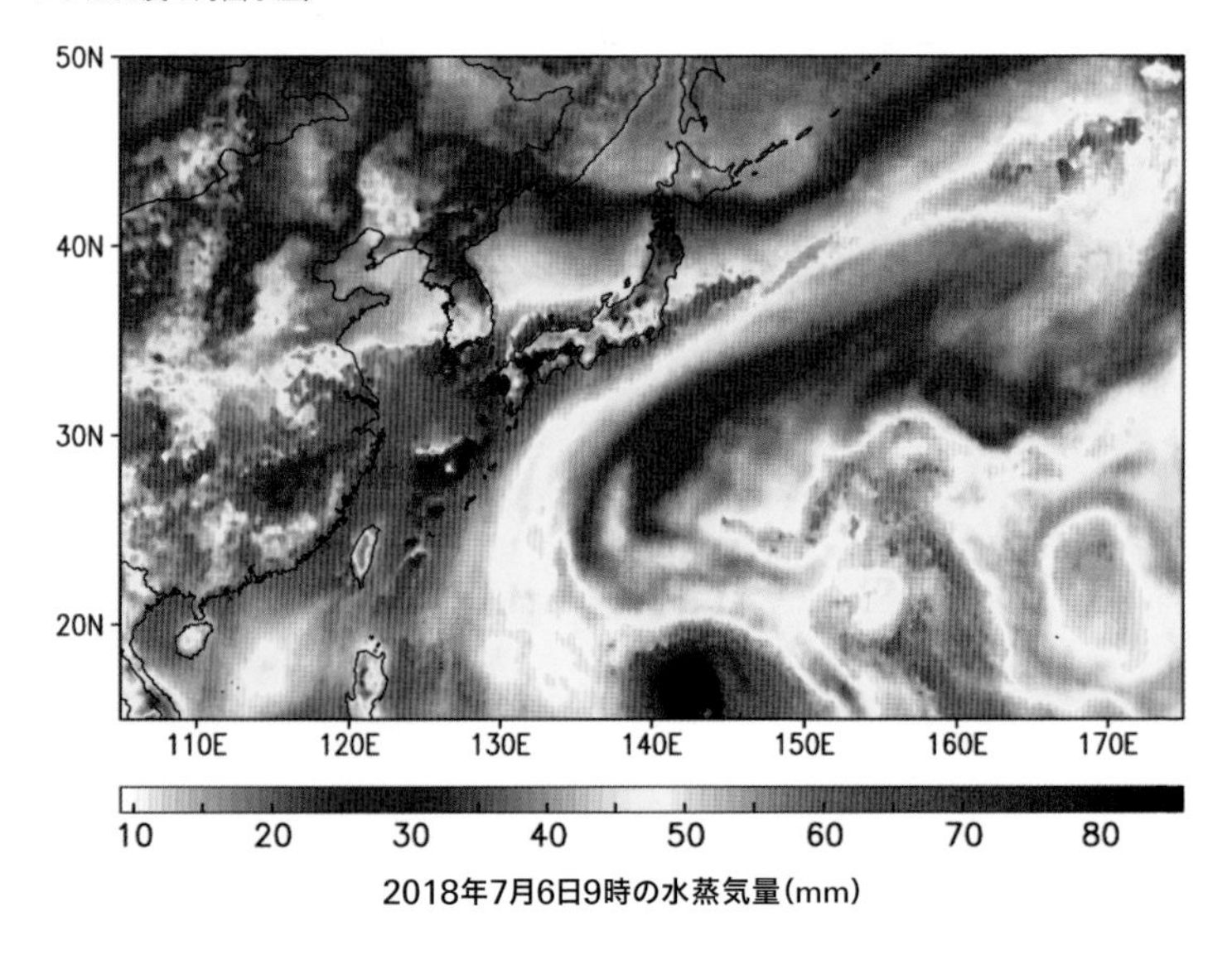

2018年7月6日9時の水蒸気量（mm）

2018年7月6日の西日本豪雨当日、午前9時の日本周辺上空の水蒸気量。水蒸気量の多いことを示す部分が、台湾の南から沖縄の上空を通り、九州から西日本にかけて延びている。「大気の川」と呼ばれるこの水蒸気の流れは、長さ約3000km、幅が800kmにも及び、毎秒48万㎥と、南米アマゾン川の2.4倍の流量に当たる水が水蒸気として西日本に流れ込んでいた（提供 筑波大学 釜江陽一助教）

私は次の革命が始まっていると確信しています。次の革命はエネルギーと環境なのです。

私たちは、環境、経済、便利さ、という3つの課題を抱え続けています。

この3つの課題を同時に解決する方法はあるのでしょうか。

私は、あると信じています。

2019年12月8日　スウェーデン・ストックホルム
吉野彰さん　ノーベル賞記念講演より抜粋

目次

第2章　豊かな水の小水力発電で若い世代が移住してくる村へ

岐阜県・石徹白集落　63

第3章　若い移住者による起業で15億円の経済効果！　奇跡の村

岡山県・西粟倉村　91

第4章 捨てられていた木が莫大なお金に！「真庭システム」の挑戦

第5章 太陽光の集中管理、電気自動車の大量導入でエネルギー自給率50％へ

第6章 災害にも強い分散型エネルギー 地場産の天然ガス事業

デザイン　MIKAN-DESIGN
校正　中井しのぶ
編集　岡山泰史

序章

再生可能エネルギーと共生する持続可能な新しい社会

人口減少で衰える地方に一筋の光

私はこれまで、テレビ朝日のアナウンサーとして日本全国を取材して歩いてきました。おそらく、日本のすべての都道府県を少なくとも5周以上は巡っていると思います。各地を取材で訪れるなか、特に地方へ行くたびに、美しい山や深い森の緑、清らかな川のせせらぎなど豊かな自然にあふれた日本の田舎の姿は、そこに住む地域の方々の温かい人柄や、それぞれの土地の食事の美味しさなどとも相まって、東京にはない地方暮らしの素晴らしさを常に実感させてくれます。

しかし今、その地方で人口減少が止まりません。日本の総人口は、２００８年の1億２８０８万人をピークに減り続けています。国立社会保障・人口問題研究所によれば、２０５３年には日本の人口は９９２４万人と1億人を切り、２１００年には５９７１万人と現在の半分以下にまで減少すると推計されています。２０１９年4月に公表された総務省の統計によれば、２０１８年に人口が増えたのは東京都や沖縄県など7都県のみで、その他の40の道府県では人口減少が確実に進んでいます。特に、秋田県や青森県、岩手県、和歌山県、高知県、山形県では人口増減率がマイナス1%以下と極めて低く、地方を中心に深刻な状況が続いています。

その人口減少で苦しんでいる地方に、２０２０年、一筋の光が射し始めました。きっかけは、欧州から始まり中国や米国など世界120以上の国と地域に広がった「脱炭素化」の潮流です。10月には日本政府も2050年の温室効果ガス排出実質ゼロを宣言しました。

こうした脱炭素社会実現のカギを握るのが、二酸化炭素を排出しない再生可能エネルギー（再エネ）で、政府は主力電源として最大限導入していくことを決めました。実は日本の再エネ潜在力は高く、自然が豊かな地方に多く眠っているとされています。新しいエネルギーの産地として、今、地方に注目が集まり始めたのです。

さらに、新型コロナウイルスの影響で、「集中から分散」への流れが始まりました。テレワークの普及もあり、感染リスクのある都心から郊外や地方に移住する人々が増え始めたのです。一極集中の問題が指摘されている東京都の人口は、23区を中心に他県に流出するなどし、2020年8月から8か月連続で減少。内閣府が行なった意識調査でも、若い世代で地方への移住に関心が高まっていることがわかりました。

課題解決のヒントは、眠っている「自然資源」を再エネで蘇らせること！

こうした時代の流れに先んじて変革を始めた地域を私は取材してきました。今、人口減少という絶望的な現状に立ち向かい、その流れを変えようと動き始めている場所が、各地に現れています。そこでは、疲弊した町が再生され、地域に活気があふれ、若い人たちが都会から戻ってきて、新しい命がその土地で誕生するという、素晴らしい循環が生まれ始めているのです。

その現場の中心には、ある共通点がありました。それは、その土地に昔からありながら忘れられていた自然資源を、現代のテクノロジーを駆使して蘇らせることです。

かつて日本の田舎は、その場所にある自然資源を中心として人々が豊かに暮らしていました。集落を流れる清らかな水、緑豊かな深い森、大地から湧き出す温泉の熱など、それぞれの地域がそれぞれの特性を活かし、そこにある自然の恵みに感謝しながら、その自然由来のエネルギーを活かした個性豊かな暮らしを送っていたのです。逆に言えば、そこに集落があったということは、当時の人々の暮らしを養うだけの豊かな自然資源がすでにその地域に存在していたということなのです。

しかし、高度成長期以降、道路網が整備され、送電線が結ばれ、地域は格段に便利になりました。便利になることはもちろん地域にとっても歓迎すべきことなのですが、その一方で、全国で効率化や画一化が重視され、地域にあった自然資源は次第に使われなくなりました。そして、工業化に伴う労働力人口の移動や集中が進み、地方から都市への人口流出が続き、地域の豊かさは失われていきました。

また、電気は海外から輸入した化石燃料を沿岸部にある大規模な火力発電所で燃やして作り、巨大な送電網で日本の各地域に届けられるようになりました。その陰で、それぞれの場所にある自然由来のエネルギーは次第に忘れられていったのです。

さらにその後のバブル経済の崩壊などもあり、地方は長い間、不況に苦しみ、都会に流出した若者たちも帰ってこなくなり、超高齢化や過疎化が進みました。その結果、限界集落が増え、人々の生活の基盤となっていた地域が消滅の危機に瀕するという大ピンチに追い込まれているのです。

このギリギリに追い込まれた状況のなかで、今、各地で、眠っていた自然資源にもう一度注目し、その可能性に懸け、立ち上がる人々が現れ始めました。その人物たちが地域の命運を託したのが、「再生可能エネルギーの地産地消」だったのです。それは、その場所にある自然資源を、最先端の技術を利用して電気や熱として生まれ変わらせる、地域発の「エネルギー革命」でした。

各地域では、立ち上がった人物の提案を激しい議論の末に受け入れ、地域一丸となって協同組合などの組織をつくり、再生可能エネルギーによる発電事業などに挑戦し始めました。こうした各地の取り組みが今、様々な困難を乗り越え大きな成功を収めているのです。

再生可能エネルギーとは、非化石エネルギー源のうち、エネルギー源として永続的に利用できると認められるもので、政令で、太陽光・風力・水力・地熱・太陽熱・大気中の熱その他の自然界に存する熱・バイオマス（動植物由来の有機物）の7種類と定められています。石油や石炭といった化石燃料のように枯渇したり、二酸化炭素や窒素・硫黄酸化物などを排出することのないクリーンなエネルギー資源で、自然エネルギー、グリーンパワーという呼び名もあります。

お金の流れを「海外へ流出」から「地域内を循環」へ

その土地にある自然資源を再生可能エネルギーで活かすという「エネルギー革命」は、なぜ成功し、地域に豊かさをもたらすのでしょうか。

化石燃料を中心としたこれまでの社会と、再生可能エネルギーを中心とした新しい社会との違いをお金の流れで追ってみると、重要なことが見えてきます。

例えば、これまでのように石油や石炭といった海外からの化石燃料を中心とした社会では、電気代として支払ったお金は、大手資本を通じて地域から逃げていき、最終的には産油国など海外に流出してしまいます。日本エネルギー経済研究所によれば、日本が化石燃料の輸入に支払ったお金は2018年度に年間19兆円を超えるという莫大な額に膨らんでいます。同じ2018年度に私たちが支払った所得税の総額19・9兆円にほぼ匹敵する膨大な額のお金が海外に流出しているのです。

一方、地域の再生可能エネルギーを中心とした新しい社会では、再エネ由来の電気に支払われたお金は海外には流れず、再エネで発電した国内の地域に向かい、その中を循環します。お金の流れが、「海外へ流出」から「地域内を循環」へと変わり始めるのです。再エネ由来の電気に支払われたお金は、電力小売事業者を通じて、その電気を生んだ地域の再エネ発電会社や協同組合などに流れ、施設の設置やメンテナンスなど、それぞれの地域に雇用を生み、最終的には地域の住民に届きます。再エネの発電所は従来の火力発電所などに比べれば一般的に規模が小さく、その地域の住民でも資格を取得すれば十分に維持管理が可能なものが多くあります。こうした地域の発電所が地元の住民に雇用をもたらし、地域の中をお金が循環するようになるのです。

さらに、再エネで得たお金を元手にして、発電以外の新しい事業がその地域で始められると、そこには新たな雇用が生まれ、地域内をお金が循環しながら経済活動が拡大していきます。それは人の流れにも変化を生み、都会に流出していた若い人たちが、地域に戻ってくるようになるのです。地域にある豊かな自然や暮らしに感謝しながら、自然と共生し、自然資源を最大限に活用するという持続可能な新しい循環型の社会が、今、各地に次々と誕生しているのです。

仮に、海外から輸入する化石燃料由来の電気から、その一部でも純国産の再エネ由来の電気に切り替えれば、海外に流出していたお金の一部が再エネ電気を生む地域に還流し始め、日本国内でエネルギーとお金の循環が始まることにつながります。

もちろん化石燃料から再エネへ、今すぐすべてを変えることはできません。しかし技術革新が時代を変えつつあります。2019年、リチウムイオン電池の開発でノーベル化学賞を受賞した旭化成名誉フェローの吉野彰さんは、化石燃料に依存しなくても済む社会を実現する道を切り開いたことなどが評価され、このたびの受賞につながりました。吉野さんはストックホルムでの記念講演で、2025年以降、リチウムイオン電池をめぐる社会の重要な変革が進み、2030年に人工知能（AI）を持った電気自動車（EV）＝AIEVが、「動く蓄電池」として人と電気を自動運転で運び、再生可能エネルギーが安定的に供給され、環境、経済、便利さの三つの課題が同時に解決される社会が実現することを予想しました。

欧州の主要国ではその未来に向けての動きが始まっています。欧州では今、再エネが急速に拡大し、すでに多くの国で電源構成（総発電量）の40％前後は再エネでまかなわれています。ドイツでは2019年に再エネが純発電量の46％（企業の自家発電は含まない推計値）に達し、化石燃料を上回りました。日本の総発電量に占める再エネ比率が2019年度に18％と、前年度に比べ1・1％しか増えていない現状と比較して、あまりに大きな差があります。

アメリカの著名な物理学者、エイモリー・ロビンス博士は2014年に、次のような重要な指摘をしています。

「日本はエネルギー小国だと思い込んでいるが、実際は再生可能エネルギーが主要工業国のなかで最も豊富な国であり、ドイツの9倍もの再エネ資源を保有している」

つまり日本は、潜在的な再エネ大国であるにもかかわらず、十分に力を発揮できていないのです。

化石燃料が主体の時代には日本は資源がない国といわれ、燃料は産油国などから輸入するのが当たり前でした。19兆円もの富の流出もこれまでであれば仕方のないことでした。しかし、今、地方に眠る純国産の自然エネルギーを現代のテクノロジーで蘇らせることが可能になってきたのです。日本のエネルギー自給率は2019年度の時点で12・1%しかなく、先進国の中で最低レベルです。さらに、ほとんどが輸入である化石燃料に85%（一次エネルギーに占める割合）も依存している姿はエネルギーの安全保障上も好ましくありません。ひとたび中東で危機が起きれば、燃料代が高騰し、この国の経済を苦しめるという構図を変えていく必要があります。仮に一部でもエネルギーを化石燃料から純国産の再生可能エネルギーに切り替えられれば、お金の流れは「海外へ流出」から「地域内を循環」に変わり、時代は大きく回転し始めます。

では、日本にどのくらいの再生可能エネルギーが存在するのでしょうか。環境省の試算によれば、日本全体で、電力供給量の最大約2倍もの再生可能エネルギーのポテンシャル（約2・6兆キロワットアワー）があると推計されています（2021年4月環境省）。その再生可能エネルギーは都市部よりも自然環境の豊かな地方に多く眠っているのです。再エネ潜在力が高く需要（人口）の少ない地方と、再エネ潜在力が低く需要（人口）の多い都市との間で開きがあり、ここを埋めることが大切なのです。この大きな溝に、しっかりとした橋をかけることができれば、エネルギーとお金の循環が都市と地方の間で活発になり、人の流れが変わり地域に人が集まり始め、再エネを中心とした分散型の社会が増えることにつながります。

本書でご紹介するのは、東京に集中しすぎた人口を地域に分散させ、東京一極集中による災害時などのリスクを減らし、超過密な環境による通勤ラッシュなどストレス社会を緩和し、東京だけでなく、日本全体で発展していくという新しい分散型社会なのです。

急激に安くなりつつある再エネのコスト

新しい分散型社会の中心にあるのが再生可能エネルギーによる発電事業だということも、各地域のエネルギー革命が成功を収めている大きな要因だと考えられます。なぜなら、電気は現代の生活の必需品で、換金性も高く、売れ残るということがありません。また、電気はそれ自体に色がついているわけではありませんので、生産地と消費地が離れていても、「ブロックチェーン技術」を使えば仮想的に取引することも可能なのです。仮想通貨の取引で使用されるブロックチェーンですが、電気も仮想化して取引しやすい対象とされ、実際に、ブロックチェーンを使った電気の取引がすでに始まっています。（注：ブロックチェーンとは、ネットワーク上にいる利用者たちがお互いに取引データを分散して管理し合う仕組み。改ざんが不可能とされる）

そして今、再生可能エネルギーは日本でも世界でも加速度的に普及し続けています。その流れを決定付けたのが、急激に安くなっている再エネの発電コストなのです。

再生可能エネルギーではこれまで、設備を導入した個人や企業などが発電した電気を、国の固定価格買取制度（ＦＩＴ）に基づいて、地域の電力会社に売電してお金を得て、発電設備の初期投資を回収するという仕組みでした。近年は、固定価格買取制度の賦課金が膨大になり、２０１９年度には再エネの賦課金総額は2・4兆円にもなりました。この賦課金問題は国民的な負担増になるとして数年来議論が続き、ＦＩＴの買取価格も徐々に下げられました。さらに、住宅用の太陽光発電では、２０１９年11月から、10年の満期を迎えた住宅で買取期間が終了し始めました。

同時に太陽光発電の発電コストも驚くほど急激に安くなっているのです。資源エネルギー庁によれば、２０２０年度下期入札の事業用太陽光発電（２５０キロワット以上）の平均落札価格は11・2円／キロワットアワーと、２０１２年度の買取価格40円／キロワットアワーから、約4分の1にまで下がりました。太陽光発電は急速に普及し、コストが大幅に下がったのです。

太陽光発電のコストは今後も下がり続け、２０２５年には7円／キロワットアワーまで下がり、その頃までに最も安価な化石燃料である石炭火力の新規発電所での発電コストを抜く可能性があると見られています。つまり、近い将来、事業用太陽光発電は原発よりも石炭火力よりも安い、純国産のエネルギーとなり得るのです。

欧州ではもっと激しい動きを示しています。２０１０年の欧州での太陽光発電のコストは当時の日本と同じ約40円／キロワットアワーでした。しかし、２０１９年ですでに7円／キロワットアワーと日本の倍のペースで安くなりました。安くなれば、当然、経済の原理に基づいて安い再エネを求める人や企業が増え続けます。そして、価格競争などで優位性がなくなった石炭火力発電所が相次いで廃止される方向に追い込まれているのです。

日本の再エネのコストをめぐっては、２０１９年にもう一つ大きな出来事がありました。それは「グリッドパリティ」と呼ばれる状態が実現したことです。グリッドパリティとは、送電網を意味するグリッドと、同等を意味するパリティが合わさった言葉で、発電コストが、私たちが支払う電気料金と同じかそれよりも安い水準に達したことを意味します。日本の太陽光発電コストは２０１９年に家庭用も産業用も、電力会社に支払う通常の電気料金と同じ水準まで下がってきたのです。すでに欧州では数年前からグリッドパリティが始まり、それによって再エネが急激に広まりました。日本でも今後、欧州と同じように、低コストによって再エネがさらに拡大することが考えられます。

クリーンな電気を求める社会へ

そして今、コストとは違うもう一つの大きな理由で、再生可能エネルギーをもっと購入したいという企業や自治体が急速に増え始めているのです。

世界では、温暖化対策への社会全体の意識の高まりから、事業運営に必要なエネルギーを100％再エネでまかなうことを目標にする「RE100」という国際的な企業連合が誕生しています。アップル、マイクロソフト、グーグル、フェイスブック、ウォルマート、BMW、P&Gといった世界の時価総額トップ20の約半数の企業などが相次いで参加し、世界で290社以上が加盟し急拡大しています。日本でもリコー、イオン、積水ハウス、富士通、ソニー、パナソニック、戸田建設、楽天といった大企業を中心に加盟は51社まで広がりました。また2019年10月には、国内の中小企業、自治体、教育機関、医療機関など122団体が参加する「RE Action（アールイー・アクション）」という再エネ100％を目指す枠組みも発足しました（参加社数、団体数は、2021年4月8日現在）。

こうした企業は、気候変動など環境問題の解決に貢献すると同時に、ESG投資（環境、社会、(企業統治を意識した機関投資家などからの投資)に対応し、環境への意識を顧客と共有して自らの企業価値を高めるという目標を掲げ、ビジネスとして再生可能エネルギーの普及や導入に取り組んでいます。また、アメリカのアップルによる、部品類を納入するサプライヤー企業に対して再エネの導入を求める動きなども、こうした枠組みが広がっている背景にあります。

2019年6月、日本のRE100加盟企業20社は、日本の電源構成における2030年の再エネ比率を50%に高め、その達成を目指して国が政策を総動員することを求めるという提言を発表しました。2019年度の日本の全発電量に占める再エネの比率が18%で、2020年現在、政府が掲げている2030年時点の再エネ比率の目標が22~24%ですから、その倍以上を求めるという意欲的な提言です。

この提言の中で、RE100加盟企業各社も一層の再エネ電力の普及、導入にまい進するとしました。環境や社会問題などに対する取り組みを判断基準にするESG投資が広がりを見せるなか、投資を呼び込みたい企業の間で、再エネ由来のクリーンな電気を求める動きが広がっていて、今後さらに加速していくと見られています。

FITが終わった住宅の太陽光発電で作られる電気は卒FIT電気と呼ばれ、国の補助をすでに受けていないことから、より純粋な再エネ電力とみなされて、RE100のような自社で使う電源の再エネ比率を高めたい企業にとって魅力的な存在にもなっています。すでに卒FI

T電力にプレミアを上乗せして買い取るRE100企業も生まれているのです。

こうした再エネ由来の電力を求める動きは、RE100などの企業だけではなく、東京都や横浜市など環境意識の高い自治体にも急速に広がっています。

2050年にも脱炭素化（二酸化炭素排出量を実質ゼロにすること）を目指すという横浜市は2019年2月、東北地方の12市町村と再生可能エネルギーに関する連携協定を締結しました。そして、この年の9月から、同じ名前である青森県横浜町の風力発電による電気を横浜市内の企業6社で使用し始めました。電力小売事業者である「みんな電力」が仲買し、ブロックチェーン技術を活用して電気の産地証明を行ない、横浜市の企業に届けているのです。

再生可能エネルギーで発電をしている地方では、その多くが地域の世帯数を上回る電力を生み続けています。最新のテクノロジーを駆使すれば、余った電力はRE100企業をはじめ都会の大消費地に「再エネ由来のクリーンな電気」として〝輸出〟して、お金を稼ぐことも可能なのです。

これまで、何もないと思われてきた地方が、エネルギー〝輸出〟地域になることも、決して夢ではなくなってきました。そこにある自然資源で電気を生み出せれば、それは無限に価値を生み続ける「打ち出の小槌」ともなり得るのです。一方で、再エネ資源に乏しい都会に住む人たちも、地方発の再エネ電力に電気代を支払うことで、お金の流れを「海外」から「地方」へと変え、疲弊した地域を支援することができるのです。

なぜ今、温暖化対策を急がなければならないのか

本書でご紹介する、二酸化炭素を出さない再生可能エネルギーを中心とした循環型の社会は、今世界中で求められている温暖化対策の一つの答えでもあります。

私は日々のニュースを現場やスタジオでお伝えしながら、温暖化対策は待ったなしのところに来ていると、肌で感じています。

ここ10年ほど、毎年のように深刻な豪雨災害が日本を襲っています。

2018年7月の西日本豪雨では、死者263人、行方不明者8人、住宅の全壊6783棟、半壊1万1346棟、一部破損4362棟、床上浸水6982棟、床下浸水2万1637棟に上っています（消防庁、2019年8月20日発表）。被害総額は1兆1580億円と推計されています（国土交通省、2019年7月発表）。

そして2019年は、台風15号、19号、21号による相次ぐ甚大な被害が東日本を中心にもたらされました。3つの台風に伴う被害を合わせれば、死者102人、行方不明者3人、住宅の全壊3472棟、半壊2万9202棟、一部損壊9万8563棟、床上浸水1万2938棟、

床下浸水2万4581棟にも上っています（消防庁、2020年1月1日現在、災害関連死、10月18日から19日の前線による大雨の被害を含む）。

相次ぐ災害で命を落とされた方々のご冥福を心からお祈りし、被災地の復興が少しでも早く進み、大変な状況にある皆さまの日常が少しでも回復するように願うばかりです。

これまでに経験したことのないような雨が各地に降り、毎年のように大規模な災害が続く背景には、温暖化の影響があると考えられています。

2020年は統計開始以来、最も平均気温が高い年でした。気象庁の統計によれば、日本の平均気温は変動を繰り返しながらも右肩上がりで推移し、この100年間で1・26度の割合で上昇しました（2021年2月気象庁発表）。さらに、日本を囲む海の海面水温も確実に上昇しています。日本近海の平均海面水温は、この100年で1・16度の割合で上昇しました。この海面水温の上昇率は、世界平均の2倍以上だそうです。

気温が1度上がると、空気中に含むことのできる水蒸気量は7％増加するといわれています。今、大気が異常な水蒸気量を含むようになり、梅雨前線の発達する梅雨の末期などに、とんでもない量の大雨が降るようになってしまったと考えられているのです。

統計を見てみても、「滝のように降る」と表現される1時間雨量50ミリ以上の非常に激しい雨が降る年間の平均回数は、40年ほど前と比べ約1・5倍に増えました。さらに、息苦しい圧迫感や恐怖感を覚えるという1時間雨量80ミリ以上の猛烈な雨が降る回数は、約1・9倍にも増えているのです。

温暖化の進む太平洋が南に広がる日本列島は、気候変動による災害とまさに隣り合わせにあると言えます。堤防を強化するなどインフラの整備、そして住民の避難のあり方など、行なわなくてはならない対策は数多くありますが、根本的には、温室効果ガスをなるべく発生させず、気温や海水温の上昇を食い止めることが大切です。

こうした温暖化対策という観点でも、温室効果ガスを排出しない再生可能エネルギーを中心としたクリーンな循環型システムは、私たちの暮らしを災害の危機から救う持続可能な社会像なのです。

また、多くの再生可能エネルギーは小規模で、地域ごとに発電を行なう分散型エネルギーでもあります。地域で発電した電気を地域内で使用するというエネルギーの地産地消が実現すれば、災害時などには自前の電気を融通することができ、停電を免れることもできます。このコンパクトなエネルギー供給システムは、2019年9月の台風15号による千葉県・房総半島での大停電や2018年9月の北海道胆振東部地震でのブラックアウト（停電）など、自然災害で起きる大規模停電から地域を守る「防災対策」にもなり得るのです。

再エネ中心の循環型社会は地域復活の処方箋

国連の持続可能な開発目標「ＳＤＧｓ」や、２０２０年から本格始動する地球温暖化防止のための国際的枠組み「パリ協定」など世界的な流れを踏まえ、日本でも、環境省から「地域循環共生圏」という概念が提唱されました。それは、美しい自然などの地域資源を最大限活用して自立・分散型社会をつくり、地域の活力が最大限に発揮される社会を目指すという考え方です。

この本でご紹介する再生可能エネルギーを中心とした各地の取り組みは、まさに「地域循環共生圏」につながる持続可能な社会像ともいえます。

再生可能エネルギーを中心とした地域の分散型・循環型社会は、人口減少で悩む地方再生の切り札になり、東京一極集中が変わるきっかけにつながり、温暖化対策に貢献し、この国のエネルギー自給率を高めることにもなるのです。

次章からは、温泉の地熱バイナリー発電、豊かな水を利用した小水力発電、荒廃した山の森林資源を活用した木質バイオマス発電など、それぞれの地域が人口減少などで苦しめられながらも、それぞれの特性を活かした再生可能エネルギーにより、復活を果たしたストーリーをご紹介します。

この章のまとめ

◉日本は電力供給の最大2倍の再エネポテンシャルを持つが、実力を十分に発揮できていない。

◉世界では、再生可能エネルギーはコストの大幅な低下や温暖化防止への貢献が理由で急速に普及している。

◉欧州ではすでにグリッドパリティが実現。ドイツでは純発電量の再エネ比率が46%になり、化石燃料を逆転した。

◉日本は化石燃料に8割依存し、年間19兆円をその輸入代金に支払っている（2018年度）。

◉日本の再エネ比率は18％と伸び悩んでいる。

◉日本の地方では、人口減少や高齢化などの問題を抱えるなか、再エネによる循環型社会の実現で、問題解決の糸口を見つけた事例がたくさんある。

◉「地域循環共生圏」とは地域資源を最大限活用して自立・分散型社会をつくり、資源を循環させ、自然と共生する社会。

◉再エネを中心とした「静かなエネルギー革命」が各地で進行し始めている。

第1章

温泉エネルギー・
地熱バイナリー発電でV字回復
福島県・土湯温泉

復活の地へ

2019年5月、10連休明けの夕刻、私は福島市の山間にある温泉観光地、土湯温泉に向かっていました。そこは、日本の再生可能エネルギーを取材する上で、ずっと訪れてみたかった場所でした。

土湯温泉は、1400年以上の歴史を誇るという名湯や、こけし発祥の地の一つとして古くから知られ、高度成長期には全国からの団体客など大勢の観光客が訪れ大いに賑わいを見せていました。しかしオイルショックや、その後のバブル経済の崩壊を経て、客足が徐々に遠のき始め、東日本大震災後には、16軒あった温泉旅館のうち5軒が廃業に追い込まれたのです。

そんな危機に陥っていた温泉街が、土地にある豊かな温泉資源を活かし、住民主導で再生可能エネルギーを導入することで、観光客数が震災前のレベルまでV字回復を果たしたというのです。さらに、都会に出ていた若い人たちが地元に戻り、新規事業に挑戦しているといいます。

私は再エネで復興を遂げたという温泉街の様子を確かめるために、スーパーJチャンネル土曜の取材で現地に伺うことにしました。

東北新幹線の福島駅で降り、駅前から乗った路線バスは、20分ほど走ると市街地を抜けました。のどかに広がる田園地帯を通り、新緑の山道を上り、やがて清流・荒川に沿うように立つつ温泉旅館街、土湯温泉に到着しました。福島駅から40分ほどのバスの旅でした。

夕暮れが迫る平日の最終便ということもあり、徐々に乗客は降りていき、終点のこの場所まで乗車していたのは私だけでした。しかし、バスから降りて街なかを歩くと、温泉街の中心を流れる川のせせらぎが耳に心地よく、水辺の歩道もとてもきれいに整備され、旅館やホテルはどこも清潔な佇まいです。通りには30代くらいのグループや外国人観光客の姿も見られ、町全体に活気が感じられました。

翌朝、山の若葉の緑が美しく映える温泉街で、私はこの土湯温泉を復活に導いた仕掛人、地元の復興・再生に取り組む、加藤勝一さん(71)の元を訪ねました。加藤さんは地元生まれの地元育ち、20代から温泉旅館の経営を手がけ、観光協会や温泉組合の要職を務めるなど、土湯温泉のすべてを知る人です。


加藤さんは土湯温泉の抱えている現状についてこう語りました。

「そもそも、ここも少子高齢化、人口減少の地域なんですね。特に震災以降、人口減少が進んでいまして、高齢化率が現在で50%を超えているんです。ここは温泉観光地ですけど、全国からおいでいただく観光客の方をお迎えするのに、肝心の迎える人がいなくなっては本末転倒ではないかということで、ここにまず定住人口を増やしたい。少子高齢、人口減少に何とか歯止めをかけたいということで、今、様々な取り組みを行なっているのです」

土湯温泉町では、この年の3月、町の唯一の小学校が、全校生徒6人のうち4人が卒業して休校となり、2020年には廃校になることが決まりました。町の人口も震災直後の2011年3月の465人から、私が訪れた2019年5月当時で324人と140人以上も減少するなど大変厳しい状況が続いています。

加藤さんは温泉街の復興に懸ける思いを語りました。

「温泉街の賑わいをどうすれば取り戻せるか。名産のこけし、湯量も豊富、それが今までの観光資源だったのですけど、震災以降、それだけではお客さまにここにおいでいただく機会も減ってきたもので

土湯温泉は1400年以上の歴史を誇る名湯だが、東日本大震災の影響もあり、一時、危機的な状況を迎えていた。その復活のきっかけとなったのは再生可能エネルギーの活用だった

すから……。必然的に、ここにおいでいただく環境をつくらなければならないのです」

かつての賑わい、そして東日本大震災

今から半世紀前の高度経済成長期、土湯温泉では新しい道路が整備され、全国から大勢の団体客が観光バスなどで押し寄せ、大変な賑わいを見せていたそうです。加藤さんは当時の思い出をこう語りました。

「昭和30年代っていうのは高度経済成長時代のまっただ中ですよ。ここは昭和34年に、磐梯吾妻スカイラインという、日本で最初の山岳有料道路が開通したのです。それで全国からスカイラインを目指して観光客が集まり、温泉観光地土湯はまさに賑わいの渦中にあったんです。旅館に行ったら、いい部屋が

2020年に廃校になる土湯小学校前で話す加藤勝一さん。小学校には145年の歴史があった

あって、料理、ごちそうがあって、上げ膳据え膳で、自分は大名、お殿様みたいな、そういう非日常性を体験したいということで、土湯には年間70万人、今の3倍近く観光客が来ていたんです。この温泉街だけで当時、芸者さんが70人以上、その芸者さんの三味線の音が毎晩響いていました。夕方から夜になると、浴衣を着て下駄を履いて、温泉街を闊歩する方で温泉街が賑わっていたという、今では考えられないようなそういう時代がありましたね」

しかし、やがて高度経済成長は国民全体の生活水準も底上げし、結果として、温泉旅館でなければ経験できない「非日常の世界」は徐々に日常の生活に追いつかれ、旅の形態も

昭和30年代後半の土湯温泉の賑わい。何台ものバスが連なり、一度に約500人もの団体客が訪れる人気の温泉地だった（提供 土湯温泉観光協会）

団体旅行から個人旅行へと変化していきました。その後のバブル経済の崩壊もあり、土湯温泉を訪れる観光客は減少の一途をたどったのです。

そこに追い打ちをかけたのが、2011年の東日本大震災でした。土湯温泉は震度6弱の激しい揺れに襲われ、旅館、商店、住宅といった多くの建物で壁が崩れるなど、甚大な被害に見舞われたのです。

その後、土湯温泉は、津波や原発事故から逃れてきた被災者の二次避難所となり、ピーク時には949人を温泉旅館に受け入れていました。連日、住民の皆さんは、自身の家も壊れるなど被災しながらも、自宅を失い遠くから逃れて来た方々を温泉でもてなし、対応に追われるという激動の日々を送ってきました。

しかし、同じ年の8月になると仮設住宅や借り上げ住宅の整備が進み、被災者は土湯温泉を次々と後にし、町は再び静けさに包まれるようになったのです。

被災者が去ったことで、それまでの忙しさが嘘のように消え去ると同時に、原発事故の風評被害は続いたため観光客が激減し、突然の静粛に温泉街はのみ込まれました。住民はインフラの補修もままならない町の中で、途方もない不安にさいなまれたといいます。

9月には16軒の温泉旅館のうち5軒が廃業に追い込まれ、土産物店や商店などをたたまざるを得ない状況に陥る人も出始めました。震災直後の3月末に235あった世帯数は、半年後の

9月には217まで減ったのです。

「このままでは土湯温泉が消滅してしまうのではないか」、そうした強い危機感が加藤さんの脳裏をよぎったといいます。

しかし同時に、ある思いが加藤さんの中で強まりました。

「3・11は人生を変え、これまでの価値観を大きく変えることになりました。自らも被災者でしたが、それ以上に土湯温泉をどうするのか、災害に打ちのめされ、疲弊した温泉街の復興、再生をどうしたらできるのか、という思いが日に日に強くなっていました。いわば、使命感のようなものです」

加藤さんは当時の思いを、町の復興史につづっています。

この温泉街で生まれ、育てられ、温泉街の活性化に人生のすべてを懸けてきた加藤さんにとって、ここで座して町の将来をあきらめるという選択肢はなかったのです。

2011年10月、加藤さんは、同じように不安を抱きながらも、何とか町を再生したいという強い志を抱いた地元の同志29人とともに、町の復興を担う組織、土湯温泉町復興再生協議会を立ち上げました。

この町の将来を懸けた組織に、「復興」と「再生」という二つの言葉を並べた意味を加藤さんはこう語りました。

「復興だけっていうのは震災前の元の形に戻すだけです。ところが全国の温泉観光地っていうのは、そうでなくたってジリ貧で大変な状況なのです。震災前にただ戻すだけではジリ貧は免れない。だから再生をしなくちゃ。再生に何が必要か。それでエネルギーに岐路を見つけて取り組んだんです。あとは、廃墟となった旅館をそのまま残したら温泉観光地のイメージとしてはダウンするから、これは絶対いけない。なんとしても再生を手がけるんだっていう決意でした」

復興・再生につながる具体的事業ポイントとして、「少子高齢・人口減少社会への対応」や「自然再生エネルギーを活用したエコタウンの形成」といった、地域再生の大目標を掲げました。さらに、町の復興・再生を担う最前線の組織として、地元による地元のための地域まちづくり会社「元気アップつちゆ」を設立、加藤さんは自ら社長に就任し、陣頭指揮を執ることになったのです。

それにしても、なぜ加藤さんは「自然再生エネルギーの活用」をこの町の復興・再生の柱に掲げたのでしょうか。そこには、震災直後の忘れられない経験があったといいます。

再エネが復興のカギとなる！

震度6弱の大きな揺れの後、住民たちを苦しめたのが3月11日から3日間続いた停電でした。加藤さんは当時をこう振り返ります。

「私の家も大規模半壊と判定される深刻な事態に陥っていました。当時はまだ春も浅く、時折、停電の暗闇で粉雪も舞うなか、電気を使うものは何も動きません。暖をとろうにもままならず、寒い部屋の中で毛布や布団にくるまっていました。生活用品や食料の仕入れに近くのスーパーへ出かけましたが、店内には何もない状態です。アイスクリームのケースを覗くとそこにも何もありません。店員に『こんなに寒いのにアイスもないのか』と聞くと、『口に入るものならなんでもいいと言って買っていきました』というのです。そういうことかと思わず納得したことも忘れられません」

凍てつく寒さと将来への途方もない不安のなか、住民たちの厳しい現実を目の当たりにした加藤さんは、ある思いを強く抱きました。それは、「この温泉街を存続させるために、せめて電気だけは自前で作らなければならない」という決意だったのです。

こうして加藤さんは、温泉街を消滅の危機から救うために、地域にある固有の資源、古くから土湯の暮らしの中心にある温泉資源を活かした再生可能エネルギーによる発電事業への挑戦を始めたのです。

地熱バイナリー発電

私が土湯温泉を訪ねた2日目、加藤さんがまず案内してくれたのが、土湯温泉を消滅の危機から救った立役者、地熱バイナリー発電所でした。温泉街から川沿いの山道を車で5分ほど進み、途中からは細い道を歩いて10分ほど上がっていくと、森の中に煙突から蒸気を出す構造物が見えてきました。山間の緑も美しい清流沿いに立つこの構造物こそが、地熱バイナリー発電所です。この機械は米国製で、発電所と呼ぶには驚くほどコンパクトでした。いくつものパイプが張り巡らされ複雑な形をしていますが、茶色をベースにきれいに塗られたその外観は、周囲の自然環境にも不思議と溶け込んでいました。（口絵7ページ）

バイナリー発電とはなじみのない言葉ですが、加藤さんはこう解説してくれました。

「これはですね、温泉の熱と、もう一つ有機媒体ペンタンという液体を使っていまして、地下からの温泉のエネルギーとペンタンの熱エネルギー、二つのエネルギーで電気を作っているのです。バイナリーというのはバイサイクル、二つという意味の発電所なのです」

二つの熱系統を使う発電＝バイナリー発電では、沸点が36度と低いペンタンという特殊な液体を、地下からの既存の温泉の熱を利用し、熱交換器を介して温めます。ペンタンは36度になると沸騰し、その蒸気でタービンを回して発電するのです。温泉のお湯は熱交換器を通る際に、熱を少し奪われるだけで、ペンタンとは一切触れることなく、そのままの成分で温泉街に供給できます。

　ちなみに土湯温泉ではこれまで、１３０度の源泉を山の湧き水で60度ほどに冷まさないと入浴には熱すぎて、温泉に利用できませんでした。しかしバイナリー発電を通すことで、発電しながら１３０度の温泉水が熱を少し奪われ、適温に下がった状態で温泉街に供給できるという一石二鳥の効果も生んでいるそうです。

　加藤さんがバイナリー発電を選んだのには、ある理由がありました。一般的な地熱発電はフラッシュ

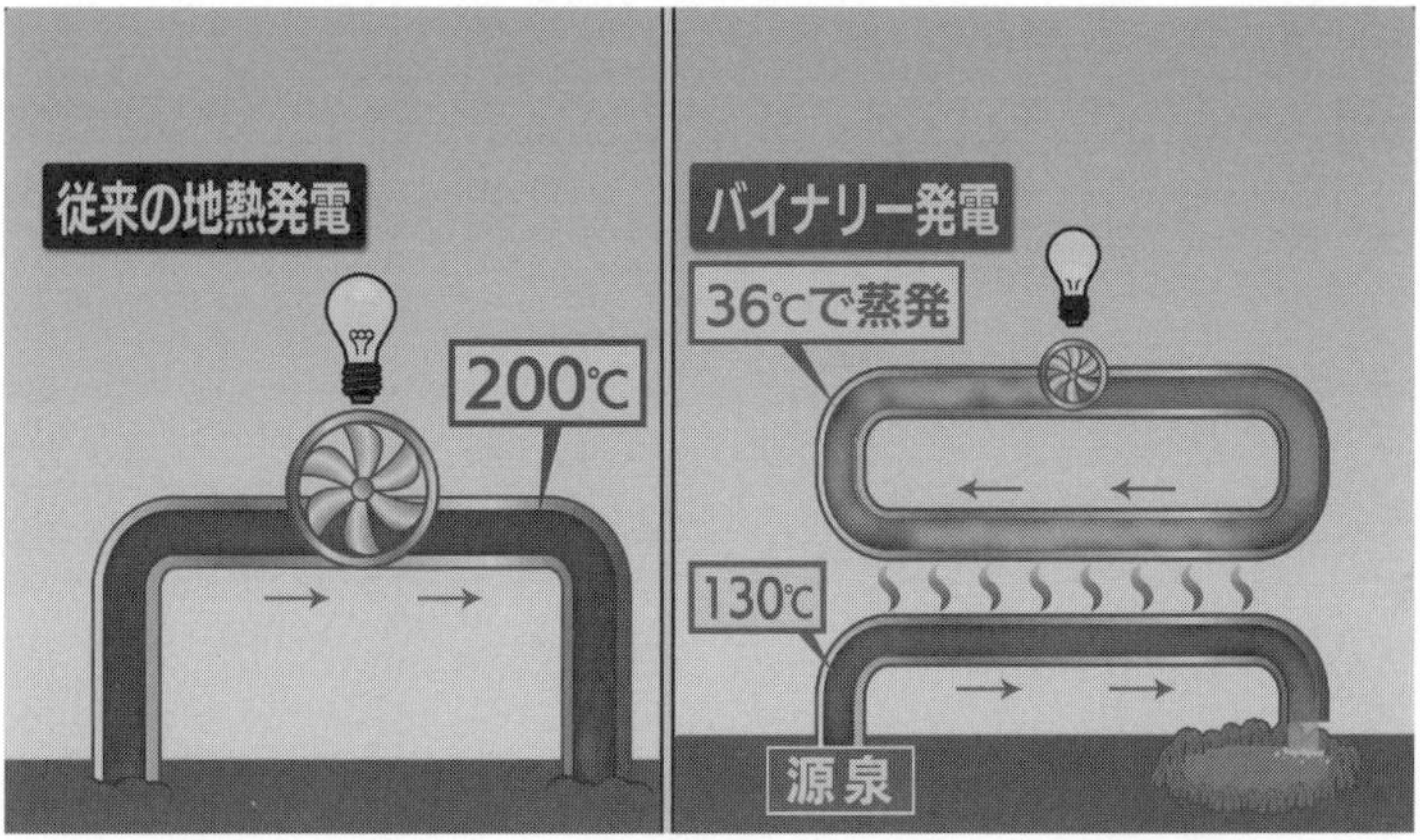

バイナリー発電（右）では沸点の低いペンタンを源泉の熱で沸騰させ、その蒸気で発電する。源泉のお湯はペンタンとは一切交わることなく、熱を少し奪われるだけで、成分も全く変わらないまま適温になって旅館などで使用できる

方式と呼ばれ、地下からの200度以上の高温の熱水を汲み上げ、その蒸気で直接タービンを回し発電します。しかし土湯温泉の源泉は130度ほどと、一般的なフラッシュ方式を採用するには低く不向きでした。

一方でバイナリー発電には大きな利点もありました。それは、この発電システムが温泉資源に全く影響を与えないことです。一般的なフラッシュ方式による地熱発電では、発電のために新たな井戸を掘削することもあり、温泉街の源泉が枯渇してしまうのではないかという反対の声が温泉関係者から上がることも多いといいます。実際、温泉の色に変化が出たとして訴訟に発展した例もあります。

しかし土湯温泉の採用したバイナリー発電では、新たな井戸を掘ることなく既存の温泉の熱を利用するだけなので、温泉の供給量も泉質も変わらず、貴重な温泉資源に全く影響を与えないのです。土湯でも、反対の声は一切なかったといいます。

「そもそも、新しく井戸を掘りませんでした。昔からここは温泉の源泉地帯になっていまして、既存の源泉を活用したということで、リスクはありませんでした。それからこの温泉地域は温泉協同組合が一括管理しています。ですから組合員さんに説明する時に『今供給している温度と量は変わりません、それからもちろん泉質も変わりません。何にも変わりません。発電所を造ってその利益は温泉街の復興・再生事業に活用しますので、どうですか』と言ったら、反対する人は誰もいませんでした。全員賛成だったのです」

既存の源泉で発電でき、泉質にも温泉資源にも影響を与えず、しかも旅館などの温泉に入れるには熱すぎるお湯を冷ますこともできるこのバイナリー発電は、まさにいいことずくめの発電システムと言えるのです。

一番の難関は資金調達

ただ、このバイナリー発電所を開設するまでの道のりは、決して平坦ではありませんでした。最も大きなネックになったのは、建設費7億円というお金をどう工面するかだったといいます。資金調達は苦労の連続でした。

資金の10％弱の6500万円は経産省の補助事業に応募して採用が決まり、補助金を受けることができましたが、残りの6億円余りは融資でかき集めるしかありません。

「融資を地元の金融機関に相談すると担保を求められました。しかし、設立したばかりの我々のような小さな会社には、担保できる資産などありません。国の固定価格買取制度を使って10年くらいで返済できると説明しても納得してもらえなかったのです」

加藤さんたちは金融機関から、地熱発電は融資実績がなく事業評価ができないから無理だと断られ続け、融資先を見つける作業は困難を極めました。

こうしたなかで、ようやく相談に乗ってくれたのが、ＪＯＧＭＥＣ、独立行政法人石油天然ガス・金属鉱物資源機構でした。

「ＪＯＧＭＥＣは、日本の民間企業が手がける国内外の石油やガスなどの資源開発プロジェクトに対して出資や債務保証を行なっている機関です。そのことから、地下資源を活用する地熱発電についても対応いただけるものと考え相談を持ち掛けました。ところが、我々のような小規模の事例は初めてで、ＪＯＧＭＥＣとしても対応に苦慮する様子がうかがえました」

交渉は1年にも及びましたが、何とか実を結び、バイナリー発電としては画期的な国内第一号となる債務保証をＪＯＧＭＥＣから取り付け、地元の金融機関から融資が実行されることになったのです。

地熱バイナリー発電所は、２０１５年11月に完成し、ついに運転を開始しました。それは、土湯温泉が復興・再生に向けて大きな前進を果たした瞬間でした。

最大出力は４４０キロワット、このバイナリー発電所から生み出される電力は、一般家庭で約９００世帯分にもなり、土湯温泉の世帯数の4倍以上にも上っています。ここで生まれた電気はすべて固定価格買取制度に基づいて電力会社に売電され、町に大きな経済効果がもたらされるようになったのです。その収入は年間１億円にも上ります。

この売電収入1億円は建設資金7億円の償還に充てられ、15年で償還する計画です。さらに、収益からは、出資した地元の温泉組合と観光協会に還元も行なわれています。

また、この売電収入からは、地域の70歳から74歳の車を持たない高齢者にバスの無料パスの支給や（75歳以上は福島市が無料パスを支給）、地元から通学する高校・大学生の通学定期代を無償にするとともに、土湯小学校が休校するまで、土湯小児童の給食費と副教材費も無償とするなど、地域貢献事業への取り組みも積極的に進めてきました。

「まず設備投資分をお返ししなくちゃいけない。それ以外に利益になった分は、温泉街の地域復興のために使わせていただいているということで、発電所の施設の意義とか意味も非常に大きいものがあります。はたまた人的支援、地域支援事業にも展開させていただいている。そんなことで今、こちらは大いに役立っているという状況です」

地域に還元される売電収入について、加藤さんはうれしそうに答えました。さらに、それだけにとどまらず、土湯温泉の自然環境を活かして、別の発電事業も始めていました。

土湯温泉では、町の中央を流れる荒川をはじめ、山間を大小いくつもの川が流れ、35基の砂防堰堤が設置されています。加藤さんたちは、その豊かな水と砂防堰堤による高低差にも着目し、堰堤のすぐ横に、小水力発電所を設置。２０１５年5月に竣工し運転を開始しています。

この小水力発電で作られた電気も固定価格買取制度に基づいて、電力会社に売電されています。

こちらの売電収入は年間2000万円にも上ります。

地熱バイナリー発電と小水力発電を合わせれば、売電収入は年間1億2000万円。加えて土湯温泉の一般家庭と旅館すべてを合わせた町全体の電力を自給自足できている計算です（夏冬のピーク時を除く）。加藤さんたちの活動によって、まさにエネルギーの地産地消が実現され、土湯温泉では、地元に大きな富をもたらしたのです。

こうした発電事業は、意外な効果も生んでいました。バイナリー発電の成功が評判を呼び、全国の温泉地などからの視察者が相次ぎ、訪れた人の多くが土湯温泉に宿泊することで、地元にお金を落としていくようになったのです。

「このバイナリー発電施設だけでも年間で2500人の方々が、見学、視察、研修にいらっしゃっています。その半分以上はお泊まりいただいていますの

地熱バイナリー発電所を見学する人々。年間 2500 人もの人が見学に訪れる

で、この発電施設が十分な観光資源ともなっています」

この温泉発電などが注目を浴び、土湯温泉の客足は徐々に戻り始めました。震災前に年間27万人だった温泉施設利用客数は、震災後の原発事故の直後には15万人まで減っていましたが、そこから上昇に転じ始めたのです。

廃業した旅館の再生

バイナリー発電と並行して加藤さんが中心になって取り組んだのが、空き家となっていた廃業旅館への対応でした。廃業した5軒の旅館の建物をそのまま放っておけば損壊が進み、今、全国で問題になっているような廃墟旅館となってしまうことは火を見るより明らかでした。

「空いてしまった旅館をそのまま放置してはいけない、廃業したまま空き家にしては、温泉観光地のイメージがダウンします。絶対にそのままにしてはいけないということを当初から考えていました」

加藤さんたちは地元で資金を集めて廃業した旅館を買い取り、それを福島市に寄付して、何とかしてほしいと市に対応を求めたのです。その捨て身の行動は市の職員を動かし、国の補助金も利用する形で、土湯温泉の街並みの再生事業が始まったのです。

「まず廃業旅館を地元が買い取る。それを行政に無償で提供する、寄付をするって言ったんですよ。土湯温泉町は、都市計画地域の『市街化調整区域』に指定されていて基本的に開発は認められていないんです。ですから、復興・再生には、どうしても行政の力が必要なんです。だから何とかしてくれとアプローチしたんですね。そしたらやはり行政としても、将来を展望した場合に、空いてしまった旅館を残すわけにはいかないので、国の補助事業を入れましょうとなったんです」

こうして、5軒の廃業旅館は、国の都市再生計画整備事業の対象となり、日帰りの温泉施設や観光交流センター、まちおこしセンターなどに次々と生まれ変わりました。なかでも日帰り温泉施設は大人気で、開業2か月で利用者が1万人を超えたそうです。

私は、再生された施設の一つ、土湯では初めてという素泊まり専用のホテルに宿泊してみました。

そこは、古くからの温泉旅館をリノベーションした現代風なホテルでした。建物1階ロビーは窓ガラスが大きくとられ、太陽の光が十分に降り注ぎ、明るく開放的な雰囲気に包まれていました。ロビーには外国人観光客がひっきりなしに訪れています。私が案内された部屋は6畳の和室でしたが、きれいにリフォームされていて快適で、大浴場では良質な温泉も楽しめました。

さらに、ドミトリータイプの部屋では、2段ベッドが並ぶ相部屋で一人一人のスペースは広くはないものの、温泉が利用でき、ロビーに設置されたキッチンで自炊もできます。1泊3500円というリーズナブルな価格設定がネットの口コミで話題を呼び、日本各地を巡る長期滞在の外国人観光客の人気になっていたのです。夜になるとロビーは、欧米や東南アジアなどからの外国人観光客が集まり、英語での会話に花を咲かせ、賑わいを見せていました。このホテルでは利用者の実に3割が外国人観光客だそうです。ネットの情報を見て、格安で泊まれる宿があるという評判を目にし、海外からわざわざこの場所に立ち寄っているのです。

ホテルを切り盛りするのは、地元・土湯温泉出身の渡邉萌さん（32）。渡邉さんは一時期、地元を出て横浜市で働いていたのですが、土湯温泉が町の再

横浜市から土湯温泉に戻ってきた渡邉萌さん。再生されたYUMORI ONSEN HOSTELのマネージャーを務める。特に外国人に人気の宿だ

生プランを進め、廃業旅館をリノベーションして新しいホテルを始めるという話を聞き、地元の力になれればという思いから土湯温泉に帰ってきたというのです。

「今、若い人たちが土湯温泉に戻ってきていて、世代交代で温泉旅館の息子や娘さんが事業を起こして新しい試みに挑戦をしています。これから土湯温泉は変わるんじゃないかなと思いますね」と渡邉さんは目を輝かせて話してくれました。

加藤さんによれば、渡邉さんのように、温泉街の2代目、3代目の若い世代が徐々に土湯温泉に戻ってきているといいます。

「震災の3年後ぐらいからですね、それぞれ後継者がみんな戻ってきたんです。後継者がいなくて困っている温泉観光地が今、全国にいっぱいありますよね。ところが土湯はみんな戻ってきた。若旦那が、みんな今、頑張っているんですよ」

土湯温泉では、2014年、5つの旅館の若旦那5人が立ち上がり、地元の福島学院大短期大学部の学生とも連携して、若旦那を取り上げたフリーペーパー『若旦那図鑑』を発行しました。このフリーペーパーは「あなたにぴったりの若旦那は？　適性診断チャート」や「浴衣で鍋トーク」など斬新な切り口が話題を呼び、若旦那図鑑は漫画化もされて、さらに注目を浴びました。土湯温泉には、若旦那に会いたいという女性客も増えたといいます。

土湯温泉では、都会に出ていった若者が戻ってきて、新しい風を吹き込み始めているのです。

温泉発電で熱帯エビ養殖

加藤さんの挑戦はそれだけにとどまらず、温泉資源を活かした新たなプロジェクトを始めていました。それは、バイナリー発電所で生まれる温水を活かした、熱帯エビの養殖事業でした。

その場所はバイナリー発電所から車で数分の山間にありました。立ち並ぶ温室の中に入ってみると、いくつもの大きな生けすがあり、水面に何匹ものエビが顔をのぞかせていました。ここで養殖されているのは、タイなど熱帯地方に生息するオニテナガエビという種類で、タイなどでは高級食材として知られています。事業開始から3年になり、すでに3万5000匹ものオニテナガエビが養殖されているそうです。

オニテナガエビを養殖するには熱帯地方の川のよ

温泉の熱を利用して養殖されているオニテナガエビ。本来は熱帯に生息するが、観光資源として注目されている

うに温かい水が必要です。そこで加藤さんが目を付けたのが、バイナリー発電で生み出される大量の温水でした。

バイナリー発電では、沸点の低い液体を使って発電していますが、沸騰したその液体を冷やすために、山の湧き水を使用しています。沸騰した液体を熱交換器を通して冷却する過程で、山の湧き水は10度から21度にまで温められます。もちろん液体とは直接触れませんので温まった湧き水はきれいなままです。これまではその温まったきれいな湧き水は川に戻して捨てていました。

しかし、加藤さんは、その21度に温められた湧き水を、65度の温泉のお湯ともう一度熱交換させて26・5度までさらに温めたのです。これで、東南アジアの川の水と同じ温水が作られます。そして、オニテナガエビの生けすに入れられ、養殖に再利用されているのです。この過程でも使用されているのは既存の温泉の熱だけで、化石燃料などは一切使いませんから、エネルギーコストはゼロなのです。

ここで養殖されたオニテナガエビは、温泉街の中心部に作られたエビ釣り場で利用されていました。1000円で3匹まで釣れ、さらにその場で塩焼きにもしてくれるというサービスが好評で、私たちが取材した時も大勢の親子連れなどで賑わっていました。温泉街に若い親子連れで楽しんでもらう施設を作りたかった加藤さんの狙いが当たったのです。このエビは、ゆくゆくは温泉旅館にも供給して土湯温泉の名物にしたいという目標もあるそうです。

土湯温泉の復活は、東日本大震災で追い込まれたなか、その土地にもともと存在する豊かな自然エネルギーを、加藤さんを中心に住民たちがまとまり、最大限に活かすことで成し遂げられました。古くからの温泉資源から、バイナリー発電という最新のテクノロジーで電気を生み出し、その電気を売ることで、年間1億円を超えるお金を新たに生み、一部は地域に還元されているのです。

土湯温泉の温泉施設利用客数は、震災後には年間約15万人にまで激減していましたが、バイナリー発電所自体が見学者を呼び込み、再生された日帰り温泉施設なども大いに貢献し、2018年度には約30万人と震災前のレベルまでV時回復を果たしました。そして、都会から若者が戻り様々な新しい取り組みを始めています。また、売電資金を元手にエビの養殖という新規事業も始まり、経済活動が拡大する好循環につながっているのです。

「この地域にある固有の資源をうまく活用して、温泉活性化につなげる形として、発電所やエビの養殖ができたと思っています。やっぱりピンチはチャンスなんですよ。普通、何にも苦労がないと、あまり知恵も浮かばなかったと思うんです。でも、大震災があって原発事故があって、何とかしてここにお客様を呼ぶために、必然的にここに来ていただけるものが何なのか考え抜いた結果、どこにもないような発電所、どこにもないようなエビの養殖にたどり着いたんです。だからピンチはチャンスだと思っています」

そう語る加藤さんは穏やかながら、土湯温泉をさらに前進させたいという強い情熱がその表情からあふれ出ていました。

加藤さんには、今、将来の夢があります。今後はさらに太陽光発電やバイオマス発電なども導入して地域の発電能力を高め、地熱バイナリー発電の固定価格買取期間が終了する2030年までには、地域内に自前の送配電線と蓄電池を整備し、電力を自給自足して、停電しない町、温泉観光地のモデルとなるスマートタウンを完成させるという壮大な計画を立てているのです。

土湯温泉でなぜ再エネ事業に取り組んだのか、その原点について聞かれるたびに加藤さんは次の6つのポイントを答えるようにしているそうです。

- これまでの観光資源だけでは将来が見通せないこと。
- 地域には再エネに活かせる固有の資源があること。
- 産業観光の創出で新たな可能性が生まれること。
- 地域経済の活性化が図れること。
- 復興・再生の先駆的なモデル地域として注目されること。
- そして何よりも、夢と希望が生まれること。

土湯温泉の取り組みは、観光客の減少に悩む全国の温泉地にも大いに参考になるのではないでしょうか。夢と希望が生まれること。土湯温泉はまさにそれを実現したのです。

この章のまとめ

◉東日本大震災以降の低迷がきっかけで、もともとあった温泉を利用した発電事業が立ち上がる。

◉ 100%地元出資による「まちづくり会社」を設立。

◉地熱バイナリー発電は温泉資源に全く影響を与えずに発電。一般家庭900世帯分の発電能力。売電収入は年間1億円。

◉建設資金7億円は15年で償還する計画。収益は地元に還元。

◉地熱バイナリー発電には、年間2500人の見学者が訪れ、新たな観光資源に。

◉砂防堰堤に小水力発電を設置。売電収入は年間2000万円。

◉廃業した旅館5軒を再生。外国人観光客が集まり、都会に出ていた若者も地元に戻り始めた。

◉温泉施設利用客数は震災前の年間27万人から一時15万人まで激減したが、一連の改革により年間30万人へとV字回復。

第2章

岐阜県・石徹白集落

豊かな水の小水力発電で
若い世代が移住してくる村へ

消滅の危機から立ち直った石徹白集落へ

２０１９年8月、私は、岐阜県と福井県の境に位置する、標高７００メートルの山間にある石徹白（いとしろ）集落に向かっていました。

石徹白は、日本三名山の一つである霊峰・白山の登山口にあり、縄文時代から人々が暮らし、平安時代から鎌倉時代にかけては、白山信仰の修験者が宿泊するなどして栄えてきた場所です。今の郡上市に編入されて60年以上が経ちました。

１９６０年ごろまで集落は２００世帯以上あり、人口も１０００人を超えていましたが、高度成長期に道路や送電線がつながれた頃から人口の流出が続き、２０１８年には１１０世帯、２４６人まで激減しました。

また、65歳以上の高齢化率が50％を超えて限界集落となり、集落は消滅の危機にさらされていました。そんな石徹白集落が、今、地域を流れる豊かな水を活かした小水力発電の導入で活気づき、30代、40代の若い移住者が相次いで、人口が増加に転じたというのです。

名古屋駅で東海道本線に乗り換えて岐阜駅で降り、高速バスに乗っておよそ1時間20分、郡上市の中心部である郡上八幡に入りました。翌朝から取材車で、カメラマンと一緒に石徹白集落を目指しました。

　この日は台風が接近し、時折強い雨が降るなど、あいにくの天候だったのですが、国道158号を北上し、途中から山間の県道に入って峠に差し掛かると不思議と雨はやみ、やがて晴れ間も差すようになってきました。石徹白集落に近づく頃には、それまでの薄暗かった空が嘘のように晴れ渡っていました。

　夏の光が差し始めた石徹白集落は、周囲にそびえる山の緑や、一面に広がる稲穂がキラキラと輝いていました。集落では周りの緑が整備され、雑草はしっかりと刈り取られ、芝が美しく整えられています。

　立ち並ぶ家々は、どれも築100年以上はありそうな古民家風の歴史を感じさせる立派な造りです。

　何よりも目を引いたのが、道路沿いのあちこちに

標高 700m の山間に広がる石徹白集落の全景。山と田園の緑が美しい

走る水路でした。山からの澄み切った豊かな水が、心地よいせせらぎの音とともに集落の中を流れていました。

集落の中心部でひときわ目立っていたのが、直径3メートルほどもある立派な上掛け水車でした。集落を流れる水の力で回転し続けるこの昔ながらの水車は、石徹白集落のシンボル的な存在です。その向こうには、緑輝く田園や山々が広がっています。日本の原風景を思わせるこの美しい集落の佇まいに、私は自然と癒やされていくのを感じていました。（口絵6ページ）

集落復活の立役者は東京からの移住者

私たちは、この集落を復活に導いた立役者である、平野彰秀さん（44）の元を訪ねました。平野さんの家はこの水車から車で5分ほどの川沿いにありました。美しい清流にかかる橋を渡って平野さんの家に向かうと、ちょうど平野さんが小学一年生の長男と川で釣りを楽しんでいました。

ご自宅の裏の土手で、私は平野さんにあいさつしました。平野さんはお子さんが大の釣り好きで、朝夕、この場所に一緒に釣りに来ているそうです。

「東京に14年住んでいたんですけど、こっちに来てから子供が生まれました。子育てするにはすごくいいところだと思います」

移住の経緯を話しながらも、次の瞬間「あーっ惜しい！」と、お子さんが取り逃した魚を一緒に悔しがるなど、平野さん自身、石徹白の生活を満喫している様子です。

平野さんは岐阜市の出身で、東京の外資系コンサルタント会社で働いていましたが、まちづくりの仕事に興味があり、退職して岐阜市にUターン、地域再生のNPO法人で活動していました。そして郡上市を訪れた際に、たまたま石徹白集落が人口減少の問題を抱えていることを知り、何とかこの地域の力になりたいと、2007年頃からこの集落に通いながら活動を続けたそうです。その後、活動を通じて知り合った奥さんと結婚し、2011年に石徹白集落に移住、翌年には長男が誕生しました。

「何とかこの村を存続させたいと地域の方々が思っ

家々の周辺は非常にきれいに整備されている。どの家も歴史を感じさせる造りだ

ていて、それで移住の受け入れとか、水力発電に取り組んで、地域の方々と一緒にやらせてもらってます」

平野さんの言葉の端々に、この集落に対する愛情が感じられました。

「移住を決めた理由の一つは、ここに住む人たちが魅力的なことです。都会と違う価値観で生きているので、それが学びになると思ったんです。この50年で人口はずっと減り続けていて、昭和30年頃の集落の人口は1200人、今は250人なんですね。僕が来た頃、小学生は12人、入学前の子供の数を数えると、このままでは小学校がなくなってしまう……。それで地域の人も危機感がすごくあったんです。

まちづくりがやりたかったので、自分が関わることで、この地域がよくなればと思い、移住することになりました」

平野さんと３人の息子たち。妻の馨生里さんは隣の建物で「石徹白洋品店」を営む

ご自宅の玄関先でのインタビュー中、全く人見知りしない、人懐っこい平野家の3人の男の子たちが、代わる代わる話しかけてきます。

4歳の次男が、虫捕り用の網をお兄ちゃんが作ってくれたと自慢話をするかと思えば、長男が釣った魚を見せに来てくれたり、平野家は子供たちの笑い声が絶えません。それは、忘れかけていた私自身の子供時代、昭和の原風景を見るようで、本当に楽しいひとときとなりました。

子供たちがのびのびして、人見知りしない点について聞くと、

「田舎だと子供は人を疑うことを知らずに育つし、知らない人に付いていっちゃいけませんというのがないのです。外からお客さんもたくさん来るので、わりと社交的に育つかもしれないですね。周りの方は、すごくよくしてくれます。いろいろ野菜とかくれるし、みんなの孫みたいに接してくれて。運動会もみんなで来てくれるんですよ」

平野さんの家は、築140年ほどの立派な日本家屋で、空き家だったところを数百万円で購入したそうです。ここでの暮らしについて語る平野さんの言葉は、都会に暮らし、お金を出して買えば何でも手に入る生活に慣れてしまった私には、目から鱗が落ちるような話ばかりでした。

「買い物する場所が、車で30分ぐらい行かないとないんですけど、日常的に子供たちがコンビニとかに行けないので、あるもので工夫する暮らしなんです。あの虫捕り網も、長男の自作な

んですよ。網の柄が伸びるんですが、元は釣り竿なんです。そういう工夫ができますね。今は、なんでも物が安いから買えば済んじゃうけど、買わずに、あるもので工夫する方が知恵がつく。子供たちみんなもそうなればいいなと思いますね」

カメラの前に無邪気に入ってくる子供たちに目をやりながら、平野さんは話を続けてくれました。

「町から離れているので自給自足的というか、昔からこの地域の人はここにあるもので暮らしていて、食べ物を作ることも家を建てることも、自分たちのことは自分たちでやるのがずっと習慣として続いていたんです」

そして話は、昔、この集落に存在した水車と発電のことになりました。

「そもそも電気が来なかったんですね。その時代に、集落の人たちが、みんなでお金を出し合って水車による水力発電所を造ったんですよ。それが大正13年の話で、昭和30年までは完全にエネルギーを自給してたんですね。今は便利な世の中になったのですけれども、便利になると都会に出れば済むって話になってくるし、逆にここは不便だから、わざわざここに住む意味はなくなっちゃう。

だけど、電気の話でも、東日本大震災が起きて初めて福島の電気を使ってたことに気が付いたのと同じように、食べ物がどこから来てるとか、電気がどこから来てるとか、そういうのってどこでどうやって作られているかわからないですよね。電気は電力会社から買う、食べ物はスーパーに並んでるものを買うわけだし。

でも、こういうところで生活をしていると、電気がどこから来て、食べ物がどこから来て、水がどこから来てとか、自分たちの命がどこにつながっているかがわかりやすいなと思うんです。そういうのがここの暮らしのいいところだなと思いますね」

「集落についても、困ったことがあると行政に頼むとか、政治が悪いとかそういう話じゃなくて、やっぱり自分たちで集落のこと、将来につながることを、地域のみんなで考えています。だから昔の人が地域のことをやったのと同じように、今の世代でここの集落を将来につなげるための事業をやろうということで、みんなで発電をやることになったんですね」

穏やかな表情で、平野さんは話を続けました。

大正時代の石徹白。かやぶき屋根の建物は威徳寺。当時は広葉樹の伐採と製材が主たる産業。大正13年に石徹白電気利用組合が設立され、発電所が造られた。人口は1000人程度だったとみられる（提供 上村修一さん）

「高度成長期以降は日本もすごく変わりましたが、それまではもっと地域でいろいろまかなう時代だったと思います。不便だけど、生活に工夫があったと思います。高度成長期以降は便利で豊かになり、幸せになった部分もありますけど、それより昔にあった価値とかは忘れてるので、ここに住むとそういうことに気付かされるんです。

経済的な効率を考えると、こういう過疎の集落は価値が低いかもしれないけど、でも集落がなくなるとここの知恵みたいなのも一緒に失われていくので、そういうのは残していきたいなと思ったんです。

家族とか地域で子供を育てることもそうですし、ここの人たちは身の回りから食べ物を得ているので、自然に対する感謝の気持ちがあったり、先祖に対する感謝の気持ちがあったり、すごくハッとさせられるんですね」

小水力発電の現場へ

次に平野さんが案内してくれたのは、道路脇の水路に設置された、らせん型の小水力発電機でした。幅1メートルほどの小さな発電機ですが、農業用水路からの水の流れを受け、らせん型の水車がぐるぐると音を立てて回っています。このコンパクトさで、一般家庭1世帯分の発電能力があるそうです。

「これは2009年に設置しました。水力発電のプロジェクトは2007年から始まって、最初いろいろと試行錯誤があって、実用化できたのはこれが最初です。10年間、止まることなく動いてます」

そして、当時、石徹白に関わるようになった経緯をこう話してくれました。

「ちょうど2007年、地球温暖化が世の中で問われていたころに、僕ら岐阜でまちづくりをやっている仲間たちと、郡上の方に通ってくることがあったんです。その時に石徹白でどんどん人が減ってるという話や、実は昔は自分たちで電気を作っていたという話を聞いていました。こういった農山村がもう一回復活するために、地球温暖化に対応できて、地域でもエネルギーができるといいよねという話を都会の若者たちでしていて、それを石徹白の方たちに

岐阜石徹白集落の小水力発電は住民主導で導入された。らせん型水車の出力は0.8kW、メンテナンスが簡単で、10年経ってもトラブルなく運転を続けている

持ち掛けたというのがきっかけです。

そしたら地元の方が、昔やってたことだし、人が減っていく集落の起爆剤にしたいということで、意気投合して始めたんです。昭和20年前後生まれの人たちは、その発電の電気を使ってた記憶があるので、そのころどういうふうだったという話を教えてくれました」

ただ、地元の反応は一様ではなかったといいます。

「せっかく電力会社に電線を引いてもらったのに、なんで今さらやるんだっていう意見もありましたし、水が豊かな地域だからまだできるんじゃないかという両方の意見がありました。こういう小さな水力発電機だと、お遊びにしか見えない部分があるので、外からよくわからない人が来て、よくわからないことをやってるとか、あいつらに水を取られたらどうするのかという話があったのは事実ですね」

そんな当時の集落の空気を変えたのが、今、石徹白のシンボルにもなっている上掛け水車だったといいます。2011年に完成して稼働を始めた上掛け水車の前で、平野さんは話してくれました。

「これはシンボリックですよね。水力発電っていろいろあるけど、これはわかりすいので、この画像をメディアで見て、石徹白のことを知ってくださる方は多いと思います」

この上掛け水車は、農業用水の流れを利用して一般家庭4世帯分ほどの電気を発電し、隣にある農産物加工場に供給しています。特産のトウモロコシの加工や、果物をドライフルーツにする際の電力として今も利用されています。

この上掛け水車がメディアなどで報道されると、石徹白への見学者が急に増えてきたといいます。

「環境問題やエネルギー問題に関心がある方とか、あるいは地域でこういうのを導入したいとか、民間も行政も、議員さんとか、メーカーの方とか、いろんな方が来られるようになりました」

今では年間800人ほどが見学に来るといいます。そして、見学者が増えたころから、地域の住民の小水力発電に対する反応も変わり始めました。

「上掛け水車は見た目にもわかりやすいし、これを見に外からいろんな方が来てくださるので、それで水力発電が石徹白にとってプラスになるものだということを、徐々に皆さん理解してくださったのかなと思います」

この上掛け水車の登場によって、集落にも変化が表れ始めました。見学者がお昼を食べる場所がなかったので、地元の女性グループで小さなカフェを始め、そこでお昼を出すようになりました。さらに、この上掛け水車を見たことがきっかけになり、移住してくる若い人も現れ始めたのです。

平野さん自身も２０１１年に30代で石徹白に移住し、より本格的な小水力発電による地域おこしに取り組み始めました。そこには、小水力発電の可能性に懸ける平野さんの思いがありました。

「水力発電は水の位置エネルギーを使うだけなのですが、何もしなければ、ものすごいエネルギーを無駄に捨てているとも言えるわけです。それを発電機を入れることで、そこから電気エネルギーを取り出すことができる。もともとあるものなので、設備さえあれば発電できます。燃料も何もいらないですから。日本は山岳地が多く、雨も豊富ですし、水路や河川沿いの『落差』は日本中どこにでもあるので、もっと小水力発電を普及できないかと思っています」

小さな集落の大きな挑戦

しかし、こうした間にも石徹白集落全体では高齢化と人口減少が続いていました。１９８９年に４４０人いた集落の人口は、20年後の２００９年に３０１人に激減し、上掛け水車が動き始めた２０１１年の段階ではさらに、２８７人にまで減っていたのです。

地区の自治会長を務めていた上村源悟さん（69）は危機感を強めていました。

「とにかく何かをやらなくてはならないという思いです。限界集落とよくいわれてるんですが、いつかは消滅する可能性が高いわけなんです。でも人の命と一緒で、黙ってこのまま老衰を待つのか、何か治療をして延命するのか。このまま黙っていて、昔ながらの生活を続ける小さな集落はなくなるのが自然かもしれませんけれど、私らの世代もやっぱり何かしなくてはならないと思ったわけです。何かをして、次の世代につないでいきたいという思いです。次の世代にも、何とかこの地域を守ってもらいたいという思いがあるのです」

西暦82年に創建されたと伝えられる白山中居神社で神職を務める石徹白隼人さん（76）もこう話しました。

「全く行き止まりの過疎の地で、少子高齢化も非常に激しい。ただ歴史的には非常に古く、縄文時代から人が住んでいたという言い伝えもある。移住されてきた方がいて、閉鎖的な地域ではないけど、何かを立ち上げて一緒にやることで、そういった垣根を外していければと」

そんな折、集落に大きな転機が訪れました。

2013年、岐阜県が石徹白集落にある農業用水路を使って、規模の大きい小水力発電所を造りたいと、石徹白の自治会に連絡してきたのです。その内容は、資金は国、岐阜県、郡上市で拠出し、売電で得られる収入は郡上市の農業振興などに充てるというものでした。

石徹白集落には管理料が支払われるという計画でしたが、これに対して集落からは、ここにある農業用水を使うのだから、もっと地域にお金が還元されるような仕組みにできないのか、という声が次々と上がりました。

そして、県が主導する水力発電とは別に、石徹白集落が主導する、自分たちのための本格的な小水力発電所を新たに造ろうという意見が持ち上がったのです。

当時、自治会長を務めていた上村さんが中心となり、住民17人が立ち上がり、集落のための小水力発電建設の発起人会がつくられました。

もちろん、平野さんもこの発起人会に加わりました。

「人口が減っていくので、そのために地域として何かをしなきゃいけないというのがあって、そのための自主財源を確保しようというのが一つの目的です。昔は集落を挙げて発電所を造ったり、農業用水を造ったりしていましたけど、今は集落でみんなが力を合わせて何かをやることはなくなってしまったので、そういうことをもう一度やろうと。これをきっかけにして地域の将来のために役立てていこうという、そのきっかけとして、この発電所を造ったという意味合いがあります」

この時、導入しようとした小水力発電機は、発電能力が上掛け水車の50倍以上という全く規模が異なるものでした。建設資金は2億4000万円。700万円だった上掛け水車の建設費とは桁が二つ違います。この巨額のお金をどうやって確保するのか、本当にできるのだろうかと不安視する声も相次いだといいます。集落では、発起人会を中心に連日のように議論が続けられました。

平野さんは、かつて中国地方で地域の小水力発電の受け皿として発電専門の農業協同組合が存在していたことを聞いていました。そこで、石徹白でも新たに発電専門の農協を立ち上げ、そこをベースに地域が一丸となって、新しい小水力発電所を造ることを提案したのです。

1年に及ぶ熱心な議論の後、最終的に自治会長の上村さんを中心に発起人会のメンバーが全住民を説得し、地域の全世帯に出資を呼びかける形で、小水力発電建設のための農業協同組合を設立することで合意しました。

集落の全世帯から合計800万円の出資金が集められ、2014年4月、石徹白農業用水農業協同組合が設立されました。そしてこの農協ができたことで、県と市の補助金1億8000万円と日本政策金融公庫からの融資4000万円を受けることができ、石徹白自治会の基金からの融資2000万円も加え、巨額の建設費を調達することに成功したのです。

そして2016年6月、ついに地元農協が所有する「石徹白番場清流発電所」は運転を始めました。それは、人口減少と高齢化に悩まされてきた石徹白集落が、未来に向けて大きな一歩を歩み始めた瞬間でした。

私たち取材班は、平野さんの案内で集落から車で5分ほど山間に入った場所にある発電所を見せてもらいました。

森の一角を切り開いた場所に、その最新の小水力発電所は立っていました。建屋のシャッターを開けてもらうと、鮮やかな青に塗られた発電機が姿を見せました。山の尾根を通る農業用水路から水を発電所まで引き、110メートルの落差を利用して発電しているのです。発電機からは、ウィーンというタービンの音が響いていました。（口絵6ページ下）

この発電所の出力は125キロワットで、発電量は約130世帯分と、石徹白の全集落分を上回る発電を続けています。発電した分は全量、北陸電力に売電され、収入は年間2400万円にも上ります。この収益はすべて地元に還元されているといいます。

「融資金の返却に充てられて、余った分は、地域の公共施設の電気代に充てたり、集落営農といって、荒れ果てた耕作放棄地をもう一度、農地に戻すという事業をやったりしています。売電の利益を新しい事業の原資にしているのです」

新規事業としての集落営農

集落営農とは、集落を単位に、農業生産に共同で取り組む組織をいいます。水力発電の売電収入を元手に集落が取り組んだのが、耕作放棄地となり、雑草やススキで荒れ果てていた田畑の再整備でした。

集落の東側は一面がきれいに整備され、見渡す限りの広大な畑に大量のトウモロコシがたわわに実り、元は耕作放棄地だったというのが信じられないほどです。

「耕作放棄地はこのあたり一面なんですが、それをもう一度農地に戻して、トウモロコシを育てたり、稲を育てたりしています。

当初は荒れ始めて、誰も耕作しない状態でした。景観も悪くなるし、寂しくなるので、土地を有効利用していこうと、取り組みを始めたのです。

石徹白の人は、草刈りをしたり家の周りをきれいにしていて、集落全体を美しく保ちたいという思いが強く、荒れていく農地に心を痛めている方が多かった。そこで、中心になっているメンバーが広く呼びかけて、集落の30代、40代のメンバーも草刈りに参加しました。最初に荒れ地を焼く時も、多くの人が手をかけてやって、今の状態になっています」

水力発電と同様に、この集落営農も、石徹白の地元の人と移住して来た人が一緒に行なう取り組みなのです。

もともとトウモロコシは石徹白の名産で、標高が700メートルと高く寒暖差が激しいため、非常に甘いトウモロコシができるのが特徴です。その名も「あまえんぼう」。

「生でそのまま食べても大丈夫です」と平野さんが渡してくれた生のトウモロコシにかぶりつ

いてみると、まるでゆでたように柔らかく、なぜかメロンのような甘さが、口の中に広がってきました。「美味しい！　これ生ですよね。本当に美味しい。まるでフルーツみたいですね！」

この甘く美味しいトウモロコシは農協などの流通には乗らずインターネットや直売所でしか購入できない貴重品だけに、あっという間に完売するといいます。

相次ぐ移住者と集落の未来

小水力発電事業と並んで平野さんたちが力を入れていたのが、石徹白集落に移住者を募ることでした。平野さんは２００９年から、地元に設置された地域づくり協議会の事務局を担っていました。この年、「将来にわたっても石徹白小学校を残す」というス

集落営農によって耕作放棄地から生まれ変わったトウモロコシ畑。このトウモロコシは信じられないほど甘く美味だった

ローガンを地元の人たちが定め、平野さんは「いとしろ青空小学校」という、薬草採集やかんじき体験などができる独自のプログラムを始めました。さらに地元の人と一緒に「石徹白人」というホームページを立ち上げ、移住に興味がある人への情報提供や、定住のサポート体制を確立。こうした活動の結果、石徹白への移住者が徐々に現れ始めたのです。

移住者の一人、廣中健太さん（38）も、平野さんの影響を受け、7年前、31歳の時に家族と一緒に神奈川県川崎市から石徹白に移住してきました。

住んでいるのは、あの上掛け水車のすぐ横に立つ、100年以上の歴史がある立派な古民家です。しっかりした造りの玄関を開けると、この家でも、元気な男の子2人と女の子が飛び出してきてあいさつしてくれました。元気で人懐っこく、全く人見知りしないのは、石徹白の子供たちの特徴です。子供たちが、いかに、普段から地域の人にやさしくしてもらっているのかがうかがえました。

川崎市のライブハウスで働いていた廣中さんが、都会での暮らしに不安と疑問を抱き、田舎暮らしに興味を持ち始めたのは、東日本大震災と原発事故が発生した2011年。長男が生まれた直後のことでもありました。ちょうど都内で開かれた平野さんの講演を聞き、石徹白が小水力発電で地域活性化に取り組んでいることを知ったのが直接の転機となりました。

「東日本大震災直後はスーパーからも食べ物が消えて、生まれたばかりの長男を抱えていたこともあり、都会での生活の基盤のもろさに気付いたのです。もともと音楽関係の仕事をしていたのですが、食べ物や飲み物を自給する生活にも憧れを感じていました。それならば地方の農村だろうと思い、ある社会人講座を受講したのです。農業関係のビジネスで活躍する人の話を聞くという講座で、平野さんが地方農村で小水力発電によって地域活性をされているという話を聞いたのが、石徹白との出会いでした」

その後、廣中さんは石徹白に惹かれてこの地に移り、地域おこし協力隊として、トウモロコシのネット販売や農産品の加工などの仕事を始め、今は、移住する前に資格を取っていた介護の仕事をしています。

石徹白での暮らしは、廣中さん一家に大きな安心をもたらしてくれたといいます。

築100年以上、太い柱や梁、囲炉裏が印象的な廣中さんの自宅。子供たちも皆、のびのび育っている

「暮らしは快適です。地域の方にも本当によくしてもらっています。住んでて気持ちがいいんですよね。景色がきれいで、自分たちの食べ物を作ることも実現できている。お米を作ったり、野菜を作ったり、魚を釣って食べるとか、狩猟免許を取得したので山の肉もいただいています。自分たちで食べる分を、自分たちで作ることができて、その食べ物ができていく過程を家族で共有できるのが、一番の充実感です」

家の横には畑があり、廣中さんはそこで家庭菜園をしています。毎朝起きて畑へ出て、トマトを採ったり、キュウリを採ったりして、味噌をつけて食べるのが楽しみだといいます。

妻の詩穂さんも石徹白での暮らしについて、こう続けました。

「やっぱり移住してよかったなと思います。子供がのびのび過ごせる環境があるんですね。周りの人からもかわいがってもらえますし、いろんな人に見守られています。川崎だと、隣に住んでる人がどんな人かわからないこともあったのですが、こちらでは、いろんな人に関わることができて、いいなって思っています」

廣中さんの住む古民家は、囲炉裏があり天井は高く、柱や梁も太く立派で建築当時のまま。2階建ての6LDKで、敷地面積は162坪、地元住民の紹介で2年前に450万円で購入しました。

廣中家でも3人の子供たちは広い家の中を元気に走り回り、太い柱にしがみついて登るなど、屈託のない笑顔を見せてくれました。石徹白の子供たちは、どの家でも弾けるような明るい表情を見せてくれるのです。

今、石徹白では廣中さんのような若い移住者が相次いでいます。ここ10年間の移住者は、16世帯48人にものぼります。いまや人口およそ250人の石徹白集落の2割ほどが若い移住者なのです。

移住者が増えたことで、集落には活気が戻り始めました。集落の願いだった「将来にわたっても石徹白小学校を残す」というスローガンの通り、4人に減っていた石徹白小学校の児童数は、2019年には9人にまで増えたのです。

生徒の人数が増え始めた小学校の校庭では、地域の恒例行事、子供の親たちによる遊具の補修作業が行なわれていました。移住者と地元の人が一緒になって、時折冗談も交えながら楽しそうに、鉄棒のペンキ塗りに励んでいたのです。こうした地域の奉仕活動は、移住者ともともとの住民との交流の場なのです。

集落の一大イベント、盆踊りにも変化が表れていました。盆踊りの輪には、移住してきた若い男女の姿が目立ち、祭りは華やかさに包まれていたのです。古くから住む地元の女性は、「これからももっと、赤ちゃんが生まれる人もいるし、うれしいですよね」と顔をほころばせていました。

石徹白では、上掛け水車が動きだした翌年の2012年に、減少傾向が続いていた集落の人口が前年を2人上回り、2019年には、これまでで最多の7人も増えました。

平野さんたちの小水力発電の取り組みが起爆剤となってお金が循環し、集落営農が生まれ、移住者も相次ぎ、集落全体が新しい方向に動き始めたのです。

収穫の時期を迎えたトウモロコシ畑で、平野さんは今後の石徹白について語りました。

「この地域には受け継がれてきた価値があるので、それと無関係なことを外からの人がやるのは、私は違う気がします。一方で、地元の人だけで同じコミュニティでいると新しいことを始めるのは難しかったりする。地元を受け継いでいる人と、よそから新しい風を持ち込んでくる人が一緒になって何かを作り出していくと、新しい集落の形、新しい村の形が生まれてくるのだと思うのです。そういうことがこの10年間、ここで起きてきたことですし、これからも同じことが起きていくといいですね。

僕たちは地域の人を尊敬しています。僕らにできないことができる方たちなので、学ばせてもらいながら、ずっとそういう気持ちを持っていたいんですね。外から入ってきた人たちは、ここで受け継がれてきた土台の上に、これからも何か新しいアイデアや力を持ち込んでくれるといいなと思います」

石徹白集落で平野さんたちを中心に始まった小水力発電は、大きな原動力となり、集落が元気になりました。そして、移住者と地元の方々が一緒になって小学校の永続を願うという目標は、一つのしっかりした流れをつくり、人口増という大きな成果を出し始めています。

この章のまとめ

◉岐阜県の山奥、人口約250人。高齢化が進み限界集落になり、一時、地域消滅の危機。

◉改革の中心を担ったのは、移住者。

◉かつて集落にあった水車をヒントに、小水力発電に着手。

◉発電所建設のため新しい農協を設立。全世帯が計800万円を出資。総工費2億4000万円の小水力発電を建設。130世帯分の発電能力。

◉売電収入は年間2400万円。収入の一部を地元に還元、耕作放棄地の整備に充てられた。

◉若い移住者が16世帯48人に。人口が増加に転じた。

◉新旧の住民が一緒になって新しい価値を創り出し、新しい村の形が生まれた。

第3章

若い移住者による起業で
15億円の経済効果！ 奇跡の村

岡山県・西粟倉村

荒れる日本の森

日本は、国土の7割近くが森林です。しかしその4割がスギやヒノキなど針葉樹を植えた人工林で、その多くが間伐などの手入れが行なわれず荒廃し、荒れた森が災害を拡大させる要因の一つとして、大きな社会問題となっています。

スギを育てるには、定期的に細い木を間引く「間伐」が必要です。そうしないと、混み合ったスギの葉や枝が日光を遮って十分な光が地面に届かなくなり、光を求めて上に伸びるだけの細長く風雪に弱いスギになってしまうのです。こうした森では下草も生えず、露になった表土が、大量の雨が降ると流され、崩れやすくなるといわれています。

かつて日本の山では、林業が栄えていました。戦後、荒廃した国土を蘇らせるために全国で植林事業が始まり、戦後復興期から高度成長期にかけて林業は全盛期を迎えました。林野庁によれば、1955年に全国の林業就業者は約52万人、木材の生産額は1980年に9680億円と1兆円近くを上げていました。

各地の山で、ブナなどの広葉樹を伐り倒して、スギやヒノキといった針葉樹を植林しました。林業が盛んだった当時、スギは高く売れたので、植林して育て、伐採して売るという営みで巨額の財産を築いた人も多かったのです。当時は、林業で儲けた収益で「スギ御殿」が建てられ、スギ大臣という言葉もよく聞かれたといいます。

ところが時代は変わり、1964年の輸入材全面自由化により外国から安い木材が大量に入ってくるようになると、国内の林業は徐々に勢いを失っていきました。

今では、全国の林業就業者は約4万5000人（2015年）と最盛期の10分の1以下に激減し、木材生産額も2550億円（2017年）とピーク時の約4分の1に減りました（平成30年度版『森林・林業白書』林野庁）。

各地で林業では食べていけなくなり、後継者は次々といなくなりました。若い人は山を去ってしまったのです。さらに高齢化が追い打ちをかけ、全国で山の手入れが困難になっているのです。

千葉の大停電を招いたサンブスギ大量倒木

2019年9月、強い勢力を維持したまま千葉市付近に上陸した台風15号は、最大瞬間風速57・5メートルという、関東では島しょ部を除いて観測史上最も強い暴風を吹かせました。この影響で、約2000本の電柱が倒壊損傷し、房総半島を中心に最大で約16日間にも及ぶ大停電をもたらしました。この長期間にわたる大規模停電を引き起こした要因の一つは、各地で電線を切断したスギなどの倒木でした。倒木が電線に絡み付いて撤去するのに時間がかかり、復旧を遅らせてしまったのです。

倒れた木の多くは、地元特産で250年以上前から植林されているというサンブスギでした。サンブスギは幹がまっすぐ伸び、太さに偏りがなく、成長が早く、花粉が少ないという特徴があり、建材に適している優秀なスギだといいます。

私たちは千葉大学大学院で緑地環境学を専門とする高橋輝昌准教授と一緒に現地の山武市へ向かい、山主さんの許可を得て森に入りました。

スギ林は、奥へ行けば行くほど暗くなり、秋晴れの昼間だというのに、日の光が感じられないほどです。周囲に密集して立つスギはどれも細く弱々しく、光を求めて、ただ上へと伸びています。

「これは手入れの問題だと思いますね。通常であればちゃんと手入れをして10年に1回ぐらい間引きをするんですけども、それがされないと木が光を求めて上に伸びることしかできず、細長くなるのです。つまり、管理されず、見過ごされてきたということです。日本の森のかなりの部分がこういう状態で大きな問題になっています。ここも、かなり木が混んでいますよね。理想的な森林の手入れの仕方とは程遠い状態です。森林の手入れをしても、儲けにならない状況で放っておかれているのです」

森の中を歩き始めて20分ほどすると突然、光が差す空間が広がっていました。周囲にあるスギが幹の途中から折れて、先がなくなっていたのです。このあたりのスギは根元の直径が1メートル近い、一見すると立派なものも多いのですが、そうした大木が途中で折れ、ギザギザに尖った幹を青空にさらしたまま立ち並んでいたのです。

足下には、やはり何本もの太いスギが横倒しになっていました。高橋准教授はそのスギの葉を手に話しました。

「これがサンブスギです。葉が尖って外側に広がる特徴があるんです」

高橋准教授は、サンブスギの大量倒木の原因を指摘しました。

「幹の途中で折れてますが、幹の断面がきれいな円形になっていないですよね。溝が入ったような状態

台風15号通過後、サンブスギは幹の途中から折れていた。これは非赤枯性溝腐病が理由で、この地域のスギにとって風土病とも言えるが、管理次第ではその被害を減らすことができるという

サンブスギは、幹だけでは普通のスギと見分けがつかないが、先が尖り外側に広がる葉の形が特徴

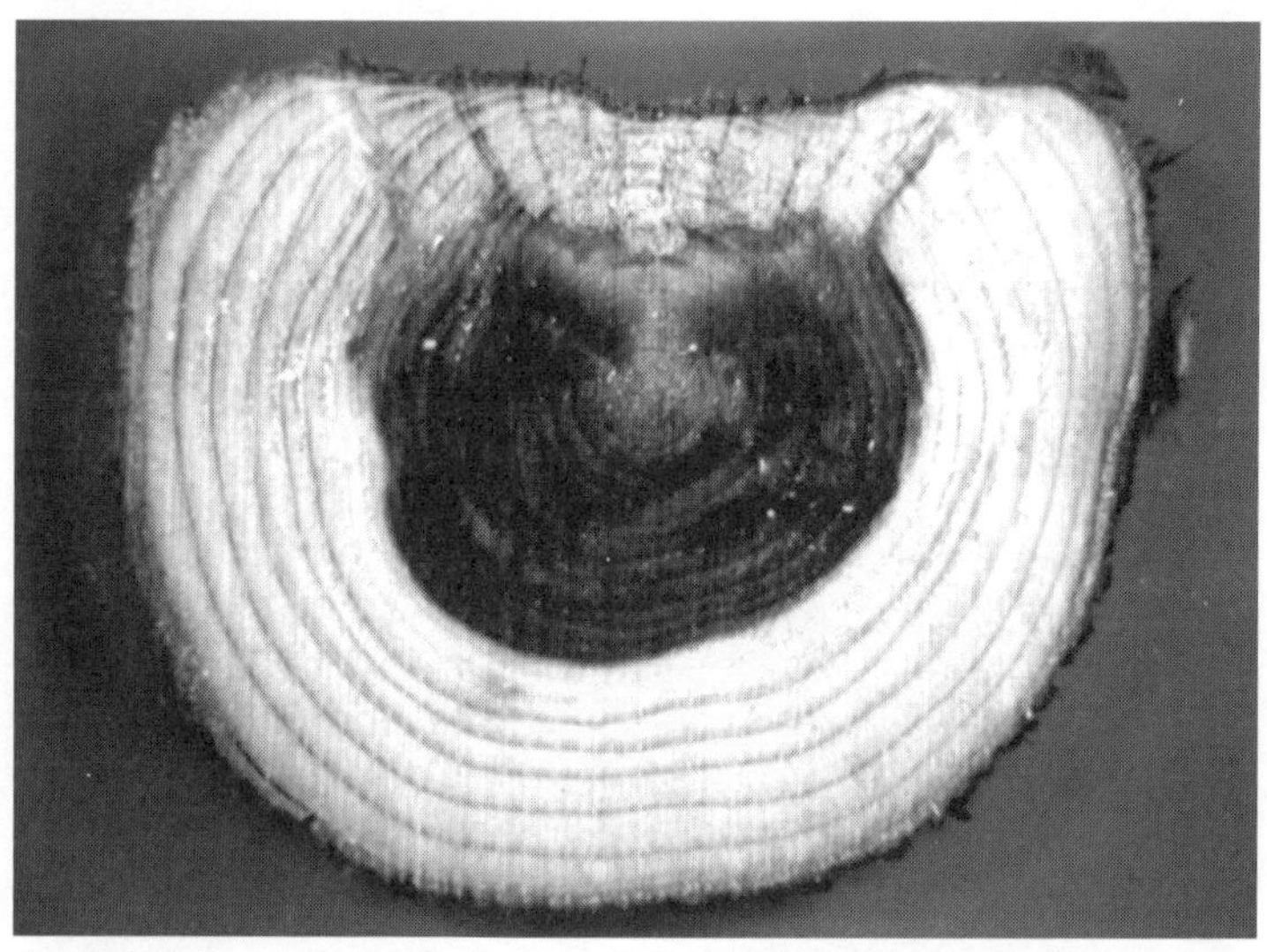

非赤枯性溝腐病にかかったサンブスギの断面図（提供 千葉県農林総合研究センター）

で歪んでいます。これがいわゆる非赤枯性溝腐病の症状で、幹が変形しています。いろんな細菌や微生物が入って弱くなり、スギの組織が死んで成長しなくなり、へこんで歪んでしまうのです。その弱くなったところに、台風の強い力が加わり、耐えられなくなって折れてしまったと思われます。これは千葉県の風土病で、特にサンブスギが植えられている地域ではこの病気が多いといわれています」

千葉県でサンブスギが植えられた森林では、8割以上がこの非赤枯性溝腐病の被害を受けているといいます。この病気にかかったスギを直すことはできませんが、予防することはできると高橋准教授は話しました。

「非赤枯性溝腐病は日が当たらずに枯れた枝から感染が始まります。ですから、日当たりの悪い枝を根元からきれいに伐り落とす枝打ちという作業をやっていれば、まずこの病気にはかからないのです。林業に携わる人の高齢化が進んで、必要な人材が足りていないので、この病気が広がってしまったのでしょう」

山の所有者である83歳の男性に話を伺うと、昭和の時代には高く売れたスギが、平成に入った頃から値段が下がり続け、今では森から伐り出すだけで、費用が収入を上回り赤字になってしまうのだそうです。この地域で林業を続けている人は今ではほとんどいなくなり、周辺の森も手入れをあきらめ、放置されているところが多いといいます。

山武市にかつて１００軒ほどあった製材業者も、今では10分の1にまで激減しています。市内のある製材業者の男性は、日本の森の現状を次のように語りました。

「昭和30、40年代、戦後復興の時は、材木は何でも売れた時代で、木もいっぱいあった。ところが今は、私のところは何とかやらせてもらってますけど、業界全体としては確かに厳しい。これはもう日本全国同じですよ。どこ行っても同じ。森は荒れ放題なのです」

高橋准教授は、日本の森の問題はサンブスギ、そして千葉県に限ったことではないと警鐘を鳴らしました。

「手入れがされなくなり、木が弱って病気にかかりやすくなったという森は、この千葉県以外でもたくさんあります。風の強い台風が最近しばしば来るようになっていますので、手入れの遅れた森林ではこういった被害がどこでも起こり得ます。しっかり手入れをして、なるべく早く、病気にかかりにくい健全な木に変えていく必要があるのです」

地域消滅の危機に背水の陣で臨んだ西粟倉村の改革

全国で林業が衰退し森の荒廃が問題となるなか、林業が再生されて森が整備され、若い人たちが増えている「奇跡の村」と呼ばれる場所があります。岡山県の北部、鳥取県と兵庫県との境にある人口1500人弱の村、西粟倉村です。

面積の93％を森林が占めるという小さな森の村で今、大きな変革が起きています。小さな村に移住してきた若者たちはこれまでに延べ180人を超えて人口の1割を占めるほどになり、2019年時点でも140人以上が暮らしています。移住者らによるベンチャー企業がこれまでに34社も起業され、その売上高は合計約15億円。約180人の雇用も生まれました。移住した人たちの間で子供が生まれ乳幼児が増え、新たに保育所もつくられました。そして、再生可能エネルギーの導入も進み、村の森林資源を活かした薪ボイラーや木質チップボイラーによる熱供給も行なわれているというのです。

2019年12月、私たち取材班は新幹線で新神戸駅に向かい、そこから車に乗って高速道路で西粟倉村を目指しました。兵庫から岡山にかけて道の両側に広がる中国山地は、暖冬の影響で遅れていた紅葉がまさにピークを迎えていました。赤やオレンジ、黄色など鮮やかに彩られた山々が、現地に向かう私たちの目を楽しませてくれました。

車に乗って約1時間半、中国自動車道から鳥取自動車道に入り、剣豪・宮本武蔵生誕の地として知られる大原を過ぎると、次のインターチェンジが西粟倉でした。西粟倉インターを降りてすぐの場所にある道の駅に立ち寄ると、観光バスが停車していて、紅葉を楽しむ行楽客で賑わいを見せていました。

この道の駅は、木をふんだんに使った美しいデッキが清流沿いに連なり、木製の清潔なトイレが印象的で、お土産コーナーには森の間伐材から作られた割りばしや鍋敷きなどが販売されています。隣の建物の屋根には、太陽光パネルが何枚も取り付けられ、この村が自然と共生し、そのエネルギーを暮らしに活かしていることを実感させてくれます。

西粟倉村は村の中央を南北に通る国道373号沿いに住宅が点在しています。車から見える家々はどれも歴史や風格を感じさせる立派な日本家屋が多く、それぞれの家の周辺はきれいに整備されていて、地域全体に活気が感じられました。

2004年、平成の大合併の際に西粟倉村は住民の意思により合併をせずに、村単独で歩むことを決めました。村の大半を占める森林の8割がスギやヒノキの人工林ですが、当時は林業が衰退する一方で山は荒廃。若者も都会に流出して人口減少が続き、自立の道を選んだものの どうやってこの先の道を進んでいけばいいのかという重苦しい空気に村は包まれていたといいます。

当時、村長を務めていた道上正寿さん（69）は振り返りました。

「そりゃもう心配しました。予算的にも大丈夫かと。厳しい財政事情と重なりまして……。でもやるしかない。決めた以上、バックはできないという気持ちでした。この村は森が多くてそのほとんどが植林してますから、その人工林が荒れかけた状況でしたので、この森を何らかの形でもう一回、テコ入れをして、何とか村民の宝にしたいという気持ちがありました」

立ち上がったのは森林組合の一人の職員だった

先行きが見えないなかで、村を建て直すために立ち上がった一人の男性がいました。当時、森林組合

元村長の道上正寿さん。市町村合併の流れに抗い、独自に自立の道を選んだことが、西粟倉村の飛躍のきっかけになったという

で働いていた地元出身の國里哲也さん（47）です。國里さんは現在、地元の間伐材を原材料とした子供用の家具を作る会社の社長を務めていて、保育園や幼稚園に木の家具や遊具を販売しています。

國里さんの会社は、木の里工房「木薫（もっくん）」と名付けられ、起業から13年で、社員が20人（うち18人が地元に住む正規採用）、売上高は約3億円という規模にまで成長しました。

工房の中では、社名の通り、新しい木の薫りが心地よく広がり、若い社員たちが時折笑顔を交えながらも、黙々と家具作りに励んでいました。その姿からは、この会社の経営がうまく回っていることが感じられました。

國里さんは地元出身で一時大阪に出ていましたが、１９９５年に故郷に戻り、２００６年まで地元の森林組合で働いていました。國里さんが森林組合で働

國里哲也さんは地元出身の林業家。西粟倉村の奇跡の復興を陰で支えてきた一人だ

いていた当時、西粟倉村の山は、全国の森林と同じように林業の衰退が止まらず、活気がありませんでした。そんなある日、國里さんの気持ちの中で大きな変化が起こりました。それは、地元で林業を続けてきたある人と交わした会話がきっかけでした。

「森林組合に入って最初のころは、僕は夕方5時になったら帰ればいいという普通の職員だったんです。ある日、今はもう他界されている方で、ずっと林業をされてきた先輩が『國里くん、どうやったら森の木が高く売れるようになるかなぁ』って言われたんです。その時に僕は『いや、無理じゃないですかね』って何も考えずに言ってしまったんです。その瞬間、その方が肩を落として『あ、そうか。いやあ、無理か……』とつぶやかれて。

その時に僕はすごく自分を恥じたんですね。その方は林業で家族を養ってこられて、一生懸命にその人生を懸けて努力されてきた。その方に対して、自分は何も考えずに何という失礼なことを言ってしまったんだろうと、本当に悔いました。

その時に、自分の中でスイッチが入ったんです。やっぱり考えなきゃいけないんじゃないか、どうやったら山の価値を上げられるのか、木の価値をいろいろな人にどうやったら知ってもらえるんだと悩みました」

「森林組合って全国にあるんですけど、都会に暮らしている方はほとんどその存在を知らないんですね。では、我々森林組合にやれることは何なのか、やっぱり消費者だったり都市部の人だったりに林業ってこんななんだよ、山ってこうなんだよというのをちゃんと訴えなくてはいけないのではないか。そのためにはどんな方法があるのか、どうすれば都市部の人が林業に目を向けてくれるかと考え抜いた時に、本当にその人たちが欲しいもの、興味のあるものを作って提示してみたら、こっちを振り向いてくれるんではないかという考えに至りました。それが森林組合で働いて、7、8年経った時でした。やっとまぁ、そこまで自分の中で考えられるようになった感じだったんです」

　國里さんは、山を手入れして出てくる間伐材で家具を作り、都市部の人に手に取ってもらうことによって、日本の山の実情を知ってもらうという企画書を森林組合に提出、その企画は評価されて通りました。ところが直後の２００６年4月に地域の森林組合8つが合併し、組織改編が起きたこともあり、その企画は宙に浮いてしまったのです。すでに気持ちが走りだしていた國里さんは、もはや後戻りはできませんでした。國里さんはその年の6月に森林組合を辞めて独立、２００６年7月に工房を立ち上げたのです。木薫は「森から子供の笑顔まで」を事業コンセプトとし、山の間伐と整備を行ない、伐り出した木で製作した保育製品を販売するという事業内容です。国内では珍しい、林業経営と工房経営が一体化した会社でした。

「初めは大変でした。子供たちに向けた家具を作りたいという気持ちは最初からあったんですけど、現実、今日、明日のご飯を食べなくてはいけないですよね。本当になかなかうまくいかなくて、始めてから5、6年は苦労の連続でした。資本金はたったの10万円で、従業員は6人いましたから、みんなを養わなければいけない。本当に大変でした」

國里さんは自ら、幼稚園、保育園に飛び込みで営業し、顧客を探し続けました。すると興味を持ってくれる保育園の園長先生が現れ、少しずつですが注文が入るようになりました。やがてその園長先生から他の保育園や幼稚園に、木薫の製品の質のよさが口コミで伝わり、徐々に注文が増えていったといいます。そして今では、地元の保育園などはもちろん、東京や大阪などからの引き合いも多くなりました。

國里さんが工房の製品を子供向けの家具にした背景には、林業の未来を考えた強い信念がありました。

「例えば農業漁業は、働いた方が自分で収穫できる。でも林業は植林して下草刈りをして、収穫できるようになるのが50年後から70年後。つまり自分の代では収穫を迎えられない。そうなると子供や孫の代にパスをしなければならない。今、我々もおじいちゃん世代が植林した木を受け継いでいて、いつか僕らもパスを出さなくてはいけない。今の子供たちは圧倒的多数が都市部にいて、マンション暮らしで公園などに行かなければ土すら踏まない生活です。本物の木に触れることもないし、本物の木目とプリントされた〝木目調〟シールとの違いもわからないのが当たり前になっている。そういう環境の子供たちが大人になって、この後の日本の山を頼むねってなった時に、『え、山には興味ないわ』みたいになってしまうのではないか。でも、間伐材で椅子を作ったり、遊具を作ったりしていれば、幼稚園や保育園に通う子の100人に1人でも『そういえば自分が通ってた保育園に木の椅子があったな、木の遊具だったな』と覚えてくれる子がいたら、少しでも日本の山や木材に興味を持ってくれるかもしれない。そういう人たちがどんどんパスを受けてくれたらという気持ちをもって種まきをしています。誰かがこの種まきをしなくてはいけないと思って、子供たち向けの家具を作ることにしたのです」

さらに、國里さんは、木薫の取り組みの特徴をこう話しました。

「これまでの林業はユーザーとのつながりがなかったんです。木を伐って原木を出すわけで、木を伐った人が、自分の木が最終的にどういう使われ方をし

木薫の椅子は間伐材を利用し、製作者が購入者に届けている。ユーザーとのつながりを大切にしているためだ

たのかわからないというのがこの業界の常識なんですけど、私たちはそこをつなげることにしました。エンドユーザーからしても、この木はどこから来た木なんだと、誰が育てた木なのかがわかるようになっています。山からエンドユーザーまでつなげることが、新しい価値を生むのです」

木薫では、職員が自分の手で作った製品を自分たちで運び、購入してくれた方に直接手渡しするという仕組みを導入しています。そこにはこんなつながりが生まれるそうです。

「例えば、普段、山で木を伐っている職人が『これなあ、わしが伐ったんや、大変だったんや』ってお客様に言うんですよね。そうするとお客様が『そうなんですか、どこが大変だったんですか?』って興味を持っていただけるんです。最初私は、はたから見ていて、職人が『わし』とか言ってるし、大丈夫かとはらはらしていたんですが、むしろお客様には『本当によかった。いいお話が聞けました』って満足していただけるんですよね。そうすると、今度は山で木を伐っている職人も『なんか、えかったなあ』とモチベーションが上がるんです。そういうつながりを持てるところがうちの強みだと思っています。この人が使う、この子供が使うんだというところを思い浮かべて、木を伐ったり製品を作ったりすれば、仕事への取り組み方も変わってきます。大量生産のベルトコンベアでは自分が何を作っているのかよくわからないですよね。逆にお客様も、こういう人たちが作ってるんだというところが見られて、納得していただけるんです。

よく品質っていいますが、お客様がこういうものが欲しいというそのものズバリを作れるのが、僕は品質だと思うんです。お客様が満足するかどうか、そこが品質だと思っています」

挑戦が引き起こした変化

國里さんの挑戦は、村に変化を起こしました。

「会社の経営が軌道に乗り始めた時に、木薫に入りたいという人が現れたんです。それは村外の人で、西粟倉に移住して木薫に入社したいって言ってくれた。そうしたら、だんだんそういう人が増えてきて、木薫だけじゃなくて西粟倉の林業を活性化したいという起業家が他にも現れました。最初は『なんじゃ、よそ者が来たんか』なんて言う村の人もおられたんですけど、実際、若い方がどんどん入ってくれるようになったので、子供が増えて小学校の児童数も増えて、村の雰囲気が変わってきたんですよ」

やがて國里さんの起業の後を追うように、西粟倉村では若い移住者を中心に起業が相次ぎました。

「やっぱり、やるって決めないと。最初からそんなの無理だと決め付けちゃうと何も始まらないので、一歩を踏み出す勇気、やるぞという勇気が大事ですよね。村に起業家が相次いでいるのはうれしいです。若いみんなも成功してほしいし、頑張ってほしい。時々厳しく言うこともありますが、それはみんなに成功してほしい、彼らが思っていることを成し遂げてほしいと思うから。

自分もスタートを切った人間なので、転ぶわけにはいかない。自分がやり始めたことなので、全力で頑張って、やり切りたいですね」

國里さんは、この工房を立ち上げただけではありませんでした。

村には、所有者が高齢となって森の手入れが自分ではできなくなり、間伐が行なわれずに荒廃が進む山が増えていました。そこで國里さんはそうした山の所有者の元を訪ね、山を5年間いったん預かり、間伐作業を代行して、荒れていた森を整備しました。そして、その間伐材から家具などを作り、付加価値を付けて販売し、その利益の一部を山の所有者に還元するという取り組みを始めたのです。

私は、國里さんと一緒に、間伐した山に入ってみました。山には作業用の林道が整備され、間伐が行なわれた森は木漏れ日が差し込み、下草も緑の絨毯のように生え、森本来の美しさが広がっていました。國里さんは山の手入れへの思いを話しました。

「先人たちが山で汗をかいて頑張って森づくりをされてきて、僕らの代に託されたんです。例えば実際に僕のおじいちゃんの話なんですけど、僕が小学生だった時に『おまえが将来、家を建てる時にはあの木を使え。おまえが家を建てる時にはこれくらいになってるだろう』と言ったんです。当時は小学生ですから、フーンと聞いていてよくわからなかったんですね。でも大人になって『あー、あの時おじいちゃんは本当に僕が家を建てる時のことを考えて、この山の手入れをしていたんだな』というのがわかりました。実際に僕が家を建てた時、おじいちゃんはもう他界していたんですけどね。これってすごいことじゃないですか。そういう思いをもって先人たちがやってきたことを僕たちが引き継いで、今度は下の代に僕らからつないでいかないといけない。そうしないと日本の林業は終わってしまう。だから、そういう思いを続けていきたい。それが僕の最大のこだわりです」

百年の森林構想とローカルベンチャースクール

この國里さんの取り組みが一つのヒントになり、2008年、西粟倉村は「百年の森林構想」を打ち出しました。

それは、半世紀前に子や孫のために植えられ成長した村の木を、先人たちの思いを大切にし立派な百年の森に育て上げるために、あと50年、村ぐるみで挑戦を続けようという村の決意表明でした。

そして、高齢化している山の所有者から森林を村が預かって長期的に管理し、木材を販売して得た利益の半分を山の所有者に返す仕組みを確立したのです。

村役場地方創生特任参事の上山隆浩さん（59）はこう語りました。

「森林事業を集約化することが大事で、3000ヘクタールの山に所有者が1600人くらいいますので、これを村に10年間の契約で預けていただいて効率的に整備を進めます。間伐をし、作業道を入れて、木材が搬出されます。そして、若いIターンの方やベンチャーの方と一緒にその木を活かしたものづくりを行ない、木材に付加価値を付けて都市部の方に買っていただくことで、地域の中で経済が循環していくという仕組みを作るのが大きな目的です。山の所有者さんには負担が一切かからず、山が整備され、お金も入るというメリットがあります。

この事業を始める前は西粟倉村の木材産業で約1億円の事業規模だったのですが、現在は9億円程度になりました。その他にも若いIターンの方を含めた様々な事業が起きて、10年間で34社が起業し、それらの売り上げも合わせて、百年の森林構想を通じてトータルで約15億円という大きな経済効果が生まれています」

西粟倉村に若い世代が次々と移住してくる背景に、若者たちの価値観の変化を感じていると上山さんは言います。

「僕らの若い頃だと、高校を卒業して、大学に行き、都会の企業に務めるというのが普通の進路だと思うところですが、今、地域で自分のビジネスをやりたいと夢があって来られる優秀な若い方たちが多いのです。若い方の価値観が変わってきたのは、地域が変わっていくのにすごくいいチャンスです。若い人は、以前のような都会集中、一極集中という考えではなくて、地域で自分がやりたいことをやるという考えにシフトしてきていると感じています」

西粟倉村では、若い移住者の起業を支援するために、総務省の「地域おこし協力隊」制度を活用した、村主催のローカルベンチャースクールを始めました。村が起業に興味のある人を募り、応募者には起業に関する計画書を提出してもらいます。書類審査や面接を経て、選考を通過した人は村で起業の準備をし、村は彼らの起業をバックアップするのです。

上山さんはその仕組みをこう解説してくれました。

「国の地方創生推進交付金という、地方を応援する仕組みを使ってお金をいただき、民間の中間支援組織に業務を委託をして、チャレンジしたい人たちを集めてもらいます。そこに、起業したい人たちを応援したり、アドバイスできたりする人を応援者として用意して、その人たちと一緒に若い方たちのビジネスモデルを磨き、4か月後にもう一度評価する。そこで本当に起業をしたい方を見極めた上で、合格者は翌年から3年間、地域おこし協力隊制度を活用して西栗倉で起業準備し、4年後の起業を目指すのです。

金銭的なバックアップはほとんどありません。地域おこし協力隊の制度を3年間使って、活動費と生活費は出せますが、それ以外は自分で費用を負担するビジネスモデルをやってもらいます。この村に来たらお金を出しますよ、ということはやっていません。

それでも若い方が集まってくるのは、やはり価値観の変化でしょう。やりたい事業をどこでやるかが大事で、どこでお金をもらえるかは彼らの価値観では関係ないんです」

村を中心としたこうした努力が身を結び、森林資源を活かしたベンチャー企業など34社が、年間約15億円もの売り上げを出しているのです。ちなみに、各社の取り組みを見ると、実に多様です。

森林整備、木材製材・加工、商品デザイン・制作・販売、ローカルベンチャー支援事業、内水面養殖事業、地域メディア事業、宿泊・観光事業、バイオマス事業、地域の困り事解決、アワビ養殖、苺のお菓子製造のベース作り、チーズテイクアウト商品製作・販売、空き家管理、子供向けの帽子製作・販売、イベント・ワークショップ企画、伝統技術と現代技術を組み合わせた家具、生活雑貨の創作、語学スクール（英語・フランス語）、宿泊施設、ヨガ教室、漆器製作、木製楽器の制作、歯科、ベリー類の多品種栽培・収穫体験、からくりおもちゃ、時計制作、モンテッソーリ教育塾などなど。

ざっと見ただけでも、若い人の発想の柔軟さに驚かされます。

上山さんは移住者たちの起業の現状を解説してくれました。

「森林を中心とするものづくりだけでなく、最近は子育てですとか、教育、助産師など、裾野を広げていっています。自然資本を中心としたものづくりをしてきたところから、私たちの暮らしを支える社会資本に近いような起業も増えています。村でも、〝百年の森林構想〟に続いて、〝生きるを楽しむ〟という新しい旗を立てました」

人口減少のスピードが緩やかになり、子供たちは増えた

若い世代の移住が続いている西粟倉村では、人口減少自体は止まってはいないものの、そのスピードは緩やかになり、世帯数で見れば2008年度の524世帯を底にして増加に転じ、2018年度は607世帯にまでなっています。

「人口動態も、2004年のマイナス2・5%からマイナス0・6%まで改善し、人口減少率は下げ止まりになっています。転出と転入を表す社会動態はプラスに転じていまして、幼稚園、小学校、中学校の生徒の総数も、2011年度が一番少なくて126人だったのが、2018

年度は154人にまで増えました。人口は自然減が続いているのですが、子供が増えているのはいい傾向です。2025年前後をピークに高齢化率は下がると見ています。釣り鐘型からピラミッド型の安定した年齢別の人口構成になりながらソフトに着地していくと考えています」

なぜ西粟倉村では若い人の移住がうまくいっているのか、上山さんは興味深い話をしてくれました。

「一般的に多くの自治体では、外から入ってくる人は地域のために何か貢献したいというケースが多いのです。ただ、地域のために何かやってあげたいという思いが強すぎると、その思いが満たされず地域との関係性がうまくいかない場合に、地域の人は自分に冷たいじゃないかとなる。最悪の場合にはそれが怒りに変わって出ていってしまうこともあり、関係性はそこで途切れてしまうんです。

でも、西粟倉の場合はそうではなくて、『あなたがしたいのは何ですか』から始まるんです。貢献しに来るのが目的ではない。結果として貢献するかもしれませんが、彼らはやりたいことをやりに来ているから、そこに無理が生じないのです。もしも別の場所でもっとやりたいことが出てくれば、どうぞ、と送り出してあげるんです。そうすると仮に出ていったとしても、西粟倉っていいところだったねと、関係性が維持されるわけです。そこが非常に重要です。何がしたいのか、その本質的な部分を見極めた上で、この村に来てもらうのが重要なのです」

西粟倉村では、若い世代が移住したことで、新しい命も次々と生まれています。2018年度は14人の赤ちゃんが誕生しました。村では乳幼児が増えたことから、同年4月、村役場の隣に新しく保育所が建てられました。この場所を実際に訪れてみて、私は正直驚きました。保育所は村のヒノキやスギを使ったデザインが非常に美しい木造建築で、まるで美術館のような佇まいなのです。(口絵5ページ下)

建物内もヒノキの床がやさしさを醸し出していて、教室内や園庭では子供たちが元気に飛び回っています。私が訪れた時点で、0歳から2歳児の計23人がこの保育所に通っていました。

さらに驚いたのは、この建物の熱供給の仕組みでした。私が訪れた12月、外の気温は昼間でも1桁台まで下がり、底冷えする寒さなのですが、中は安らぎを覚える暖かさに包まれていました。その秘密は床下にあったのです。

園長の芦谷武司さん(62)さんが床の蓋を開けると、ふわっと暖かい空気が吹き上がってきました。その下に複数のパイプが通っています。

「お湯が管の中を通っているんです。それで周りの空気は暖かくなっています。ただ、これだけではないんですよ」

芦谷さんは、床の端に延びる格子状の溝を指さしました。

「ここから暖かい空気が出てきて室内を循環しているんです」

そこには、床下を走るパイプのお湯で温められた空気の吹き出し口が設置され、暖気がやさしく室内を包み込んでいました。

「このパイプは、道路の向こうにある熱エネルギーセンターから来ています。村の山から出た木質チップを燃やしてお湯が作られているんです。かつてなら山の中で捨てられる運命にあった木が木質チップに生まれ変わって、それがこうやって熱になって活かされている。村の木が子供たちの教育に役立っている。まさに村の恵みを子供たちがいただいているのです」

木質チップボイラーと小水力発電

熱エネルギーセンターは保育所から国道を隔てて、建設中の村役場新庁舎の裏手にありました。この新

森の保育園の床下には熱エネルギーセンターからの温水が供給され、建物全体を温めている。熱源は地元産の間伐材などで、温暖化問題だけでなく、地元経済を通じたお金の循環にも貢献している

庁舎も地元の木材を使った木造で、美しい外観が印象的です。すでに多くができあがりつつあり、2020年度に竣工予定です。

熱エネルギーセンターを案内してくれたのは、村の産業観光課主幹、白籏佳三さん(57)。

この熱エネルギーセンターは、米を脱穀し乾燥させる農協の施設だった建物を再利用して造られ、最新の木質チップボイラーが2基設置されていました。(口絵5ページ上)

白籏さんが仕組みを説明してくれました。

「燃料は木質チップで、元は製材所で使えなくなった端材です。端材を細かく砕いてチップにしています。森の間伐材で、いわゆるC材と呼ばれる、建築材や家具、合板などに使えないものも利用します。これが燃料プールに貯められて、自動でボイラー側に送り込まれ、燃やされてお湯を温めています。この2基のボイラーで、小・中学校、村役場、診療所、デイサービスセンターなど6つの施設の暖房と給湯をまかなえます」

隣には、木質チップを貯めておくチップサイロと呼ばれる燃料プールがあり、トラックで運び込まれる木質チップがここに貯蔵されます。ボイラーで作られたお湯は大きなタンクに蓄えられ、そこから保育所などに地下のパイプを通して送られていたのです。

その後で、白籏さんは、車で5分ほど離れた山間の清流沿いにある小水力発電所に案内してくれました。この発電所は1966年に造られ、以来ずっとこの場所で使われ続けていたそうですが、２０１５年に3億円をかけて再整備され、今では２９０キロワットの出力を誇る最新鋭の発電所に生まれ変わり、約４００世帯分の発電を続けています。西粟倉村の一般家庭の約7割の電気を自給し、その売電収入は年間７０００万円に上ります。

さらに上流には１９９キロワットの第２小水力発電所を4億８０００万円かけて建設中で、２０２０年12月頃に完成予定です。その第２小水力発電所も稼働すれば、村の一般家庭の電気を１００％以上自給できる計算になり、二つの売電収入を合わせると年間約1億１０００万円になるといいます。村の税収が２０１８年度に1億３７００万円ですから、それに匹敵するレベルの売電収入を村にもたらすのです。

白籏さんは、この小水力発電の存在意義を次のように語りました。

白籏佳三さんは、村役場のエネルギー担当。バイオマス熱供給は、山から木を伐る、加工する、熱管理するなど多くの人が携わるため、雇用効果も大きいと話す

「小水力発電の売電収入で得たお金が、村の93％を占める山へ投入され、山が活かされ、バイオマスで熱利用されるようになって、新たな雇用が生まれています。新しい動きが芽吹いて、つながっているんですね。百年の森林構想から始まったこの10年のチャレンジで目に見えて村が変わってきて、すごく楽しいですよ。エネルギーで言えば、この小水力発電が村のリーディングプロジェクトです。これが勢いをつけて村に貢献してくれたんです」

この小水力発電の収入が山に投資され、熱供給事業など村のエネルギー改革の原資になっていたのです。

廃校で新規ビジネス、体育館でウナギも！

村の北部にある廃校になった小学校では、リノ

チップサイロに貯められる木質チップ。約20t、公共施設6か所の真冬3日分の熱供給量にあたるチップが収められる

ベーションされた校舎などを利用して、若い起業家たちの様々な取り組みが始められていました。

ほぼ当時のままという建物は、床などにヒノキが使われ、レトロでありながらも逆におしゃれな雰囲気を醸し出していました。この校舎で食堂や帽子店などが若者たちによって運営されているのですが、最も驚いたのは、体育館の中で行なわれていた養殖事業です。

体育館の中には大きな水槽がいくつも置かれ、その中で2万匹のウナギが養殖されているのです。水槽の熱源には、森の間伐材などを利用した薪ボイラーが使われています。

エーゼロ株式会社でウナギの養殖事業を担当する長田信人さん（38）は、もともと水族館の飼育係の仕事をしていましたが、実家が農家で、農村の主婦やお年寄りが体力を使うことなく金銭を得られる仕組みが作れないかという思いがあり、その実現を目指して転職。西粟倉村に移ってきたそうです。

「山間部で高付加価値のものをつくろうと思った時に、ウナギに注目しました。ウナギは温かい水が必要になるわけですが、ここでは森の中で使われない木が出ますから、それを薪ボイラーの燃料にして、その熱を使って水を温めています」

「農村の余っている倉庫とかハウスで、こうしたウナギの養殖のパッケージングが成立すれば、農家の副収入になるのではと思って始めました。畑に出ていないおかあさん方がウナギにエサをあげて養殖をして、収入を得られるのではないか。もし副収入があれば、農家の暮らしに余裕が生まれるのではないかと思うのです」

「森のうなぎ」とネーミングされた西粟倉村のウナギは、旧校舎内の別の部屋で、職人の修業を受けてきた若い移住者の手によってさばかれ、かば焼きにされるなどしてネット販売されています。

未来の里山

若い移住者を西粟倉村に引き寄せるローカルベンチャースクールなどのプログラムの企画運営を村から任されているのが、この旧校舎に本社を構えるエーゼロ株式会社です。社長の牧大介さん（45）は、京都大学大学院修了後に地域コンサルタントとして西粟倉村に関わり、この村に惹かれるようにして移

廃校の体育館を利用したウナギ養殖事業は、薪ボイラーの熱源を利用している。「森のうなぎ」ブランドとして売り出され、ふるさと納税の返礼品にもなっている

住。2009年に間伐材を加工し流通させる会社「西粟倉・森の学校」を設立、その後2015年に「エーゼロ」を立ち上げました。西粟倉村の改革を成し遂げた最大の功労者の一人です。

牧さんの下でウナギの養殖事業などの自然資本事業部を統括をしているのが、エーゼロ執行役員の岡野豊さん（42）。

岡野さんも興味深い経歴をお持ちでした。もともと小学校の音楽室だった部屋の黒板には、里山の画と、その横に数式がチョークで書かれていました。その横で、穏やかに語る岡野さんの言葉は、新しい時代の新しい生き方を感じさせ、私の心に非常に強い印象を残しました。

「トヨタ自動車の生産環境室に39歳までいました。愛知県豊田市で10年、北米トヨタに4年。いろんな地域に行って仕事をして、自動車工場ありきじゃなく、地域の生態系と人がちゃんと交じり合うような事業をつくりたいという思いが心の中にずっとありました。38歳の時にアメリカで2人目の娘が生まれたのですが、その時、難産で妻が死にかけたんです。血を何度も入れ替えて2週間くらい集中治療室で、何度も『助からないかもしれないけれど、治療を続けて大丈夫か』ということでサインもして。妻は何とか一命は取り留めました。でもその時、たった一回の人生だし、家族みんな無事でいたんだから、やりたいことをやろうと思って退職を決めたんです」

「辞めて半年ほどアメリカの大学院に通い、カリフォルニア大学でまちづくりの勉強をして、シリコンバレーのスタートアップも回って、あっちで仕事をしようか、どこの地域に行こうかと考えていたんですけど、カリフォルニアは新しいITのスタートアップはあっても、生態学の知識を活かして人が自然とどう交じり合うのかをやっている人は意外といなくて。その時、うちの牧（社長）がトヨタのコンサルをやっていたこともありまして、彼が会社を立ち上げたというので、一緒にやりたいなということでこちらにやってきました」

「私にとってはやっぱり、自分自身が生き生きするのが一番大事だなと、自分を精いっぱい発揮したいと思ってまして。トヨタという看板を背負っていると、気軽にはインタビューを受けられませんし、自由に外の人と意見交換するのもはばかられます。トヨタにいた時は99%幸せだったんですけど、どこか違和感があって、会社に合わせるというところがあったのです。40歳になるちょっと前に、たった一回の人生だから、人が生き生きできるように、地域の自然との事業を考えてみたいと決断したんです」

岡野さんを突き動かしたこと、この村でやりたいことは何か。――私が質問を重ねると、岡野さんは目を輝かせながら話してくれました。

「未来の里山をつくろうとみんなで言っています。新しい山、新しい景観、新しい人の暮らし方が、今これから生まれると思うんですよ。山も全部スギ・ヒノキ。それこそ大量生産・大量消費の時代のシンボルみたいに、これが一番効率がいいと思っていたのが、木の値段は下がり、日本中に人が入らない山が増えました。ただ江戸時代のような、雑木林がいっぱいあって、薪を取って草で肥料にするのをやろうとすると、今の時代には合わない。そこに戻るのは無理でしょう。でも、今の時代に合う山との関わり方がある気がして、それがまさに今から10年くらいにできるだろうと。それこそ僕らみたいに、人生に多様な豊かさだとか多様な生き方を考えている人がいるので、そういう人たちが、山のいろいろなものと関われるようになったら、未来の里山をつくれるのではないかと思っているんです」

　未来の里山！　西粟倉村で様々な活動を目の当たりにし、様々な人の話を聞いた後で、岡野さんから発せられたこの「未来の里山」という言葉は、あま

トヨタ自動車で14年間、環境部署で働いていた岡野豊さん。世界中の工場を巡ってきた国際経験を活かし、多様な人と生物が生き生きする場所づくり、仕組みづくりを目指すエーゼロ株式会社の自然資本事業部を統括をしている

りにもまっすぐに、私の心の奥底に響きました。

「未来の里山というのは、どんな里山なのでしょうか」という私の問いに、岡野さんは返事をくれました。

「山でシカを捕まえるのが得意な人、川に潜ってアマゴを手づかみできる人、森で輝くヒメボタルを見つけられる人、ジネンジョを美味しいキムチにできる人。多様な生き物の数だけ、多様な人の活躍の可能性があります。誰もが同じように英語や数学やエクセルやパワーポイントができなくたっていい。自然と関わることで、みんながもっともっと輝いて豊かな人生を送れたらと願っています。多様な人や自然がつながり合って、安心できる暮らしをつくりたいのです。それはお互いの違いを楽しめる世界です。

そして、ちゃんと社会と関わりたいのです。自然から得られる『美味しい、楽しい、美しい』を都会の人々にもお裾分けしたい。ちゃんと事業を運営し、みんなが無理なく暮らしを立てられるようにしたいです。

ネットやスマホやAIなど、新しい技術も活かしたいと思います。変化を楽しみながらも、ぐるぐる巡る自然の一部であることを感じられる、人が本当に幸せになれる、そんな世界を僕たちは『未来の里山』と呼んでいます」

「未来の里山」、それは今回の取材で一番印象に残った言葉です。大量生産、大量消費とは真逆の、人と人がつながってお互いの顔が見えることで新しい価値が生まれる。個々人が組織に縛られず、やりたいことに情熱をもって取り組める。自分の暮らしを大切にし、自然と共生する持続可能な社会をつくる……。

西粟倉村で見たものは、まさに「未来の里山」の一歩手前まで近づいている、新しい時代の新しい価値観を大切にする新しい社会でした。

ではなぜ、その新しい価値観をこの小さな村は受け入れられたのでしょうか。役場の上山さんは、この村の地域性についてこんな見立てをしています。

「この村のDNAは〝通り道〟なんです。村を南北に貫く因幡街道は江戸時代に参勤交代で使われて、ここは峠の茶屋なのです。大勢の人が往来する地域性として、新しい人が入ってくるのに慣れてるんですよ。それがDNAとして今も残ってるんです」

元村長の道上さんは、村の未来についてこう話しました。

「未来は無限だと思いますね。人口減の社会ですけれども、やる力があれば、多様性をしっかり持って具体的に取り組んでいけば、未来は明るいですね。田舎だから考えられないということではなく、いろんなケースを提供することも必要だと思います」

街道筋の小さな村だからこそ大事にしてきた多様性、それが次の時代の新しい世代、新しい生き方を受け入れることにつながっていく。西粟倉村は、昔からの人と新しく来る人がお互いを尊重しながら高めあい、そこにある自然資源を活かすことで、持続可能な未来をつかんでいたのです。

この章のまとめ

◉全国的に林業が衰退。就業者は最盛期の10分の1、木材生産額も4分の1に激減。各地で森林が荒廃している。

◉2019年台風15号による千葉県の大停電の原因の一つは、手入れされず病気になったスギが大量に倒れて電線を切断したこと。

◉岡山県西粟倉村では、捨てられていた間伐材で高品質の手作り家具を製作・販売。年商3億円に。

◉村では「百年の森林構想」を打ち出し、山を村が10年間一括管理。利益を所有者に還元することを条件に間伐材を搬出する仕組みを確立。

◉村は起業家を募集して、ローカルベンチャースクールを開催。若い起業家の育成に成功。若い移住者は延べ180人、34社が起業、年間15億円の売り上げ。

◉子供が増え、地元の木材を使った新しい保育所を約20年ぶりに建設。

◉村はエネルギーセンターを建設。間伐材を木質チップに変えて燃料にし、ボイラーで保育所など公共施設に熱供給。

◉小水力発電では400世帯分の発電。売電収入は年間7000万円。収入の一部は森の整備に投入され、森から生まれる循環型経済が成立している。

第4章

捨てられていた木が莫大なお金に！「真庭システム」の挑戦

岡山県・真庭市

きっかけは、小さなバイオマス発電所

岡山県西粟倉村から車で西へ1時間ほどの所に、林業の衰退や山の荒廃を逆手に取り、再生可能エネルギーをテコにして乗り越え、地域経済を大循環させている場所があります。2013年にベストセラーになった藻谷浩介さんの『里山資本主義』で紹介された岡山県真庭市です。

真庭市ではその後、国内有数の1万キロワットもの出力を誇るバイオマス発電所が41億円の総工費をかけて2015年に完成。フル稼働して一般家庭2万2000世帯分の電気を生み、年間24億円の売電収入を得ています。森林も手入れが行き届き、林業も活性化するという理想的な「真庭システム」が完成し、年間14億円ものお金が地域に還元されているのです。

岡山県の北部に位置する真庭市は、市の面積の8割を森林が占める、人口5万人弱の静かな森の町です。古くから美作ヒノキの産地として知られ、製材の町として発展してきましたが、高度成長期以降は安い輸入材などに押されて林業が衰退。山は荒れ、間伐もままならず、間伐材は使われることなく山に放置されていた時代が続きました。

この流れを根本から変えたのが、地元を代表する製材業者、銘建工業の中島浩一郎さん

(67)でした。中島さんは今から30年以上前に、当時の日本では極めて珍しい、小さなバイオマス発電所を建設したのです。

1980年、国内では木材バブルといわれる現象が起き、国産木材の値段は上昇、木材の生産額はピークを迎えていました。当時、製材所で使用する国産材の価格高騰や品不足を補うためにアメリカをよく訪れていたという中島さんは、1981年、見学で立ち寄ったカリフォルニアの小規模な製材所で、敷地内の小さな小屋から聞き慣れない音を耳にしたといいます。

「小屋の中からウィーンという音がしていたものですから、これ何ですかと聞くとタービンだと。発電をやっているのかと聞いたら、そうだというんですね。これはかなりショックでした。小規模の製材所でも発電ができるのかという驚きです。当時、電気

真庭の森を前に語る銘建工業の中島さん。真庭の循環システムを生んだ改革の立役者だ

は電力会社から購入するのが当たり前の時代でしたから、これはチャンスだと、自分たちもやりたいなと思ったんです」

集成材工場では、生産工程で大量の木くずが発生しますが、その処理が追いつかず、中島さんは頭を悩ませていました。しかし、このカリフォルニアの仕組みを見て、木くずが電気を生むことに気付いたのです。

3年後、中島さんは1号機となる小さなバイオマス発電機を製材所内に建設しました。

「1984年に175キロワットの非常に小さい発電所を始めました。当時、バイオマス発電所なんてないし、大手のメーカーに問い合わせたら、そんな小さな発電所なんてできませんよと言われて、それで小さなタービンをやっているメーカーを紹介してもらって、かなり思い切ってやったんです。結果としては非常にうまくいって、2億円弱の投資はわずか2年で元が取れたんです。蒸気をどんどん作って木材乾燥機の熱源にし、さらに電気もできるということで、夜間使う分ぐらいは発電しましたね。夜間は電気代かからんぞとフル稼働でした」

しかし高度成長期以降、日本の林業や製材業は衰退期に入っていました。90年代に入るとバブル経済が崩壊。今後やっていけるのかという不安が地域の製材業者の間に広がり、中島さん自身も、この先はどうなるんだろうという漠たる不安を感じていました。

そんな折、ヨーロッパを訪れる機会のあった中島さんは、現地の木材産業や林業のあり方に衝撃を受けたといいます。

木を植えて育て、伐ってはまた植える、という森の循環を基本とし、森の成長量を計算した上で、森と共存しながら計画に沿って森林資源を活用するという緻密に管理された仕組みや、補助金も受けずに立派に産業として自立しているヨーロッパの林業や木材産業の姿を目の当たりにし、こんなにも違うのかという驚きを覚えたのです。

日本では、山林に全然お金が残らない。林業にも、木材産業にも富がつながらない。森を中心とした循環的な営みが全くできていないのではないか、という思いを中島さんは強く抱きました。

1993年、中島さんは地元の若手経営者を集めて「21世紀の真庭塾」という勉強会を発足させました。掲げたのは大きなビジョンでした。

「縄文時代より脈々と続いてきた豊かな自然を背景とする暮らしを未来へつなげていくこと」という大目標。地域の自然と共生しながら、経済を循環させ、地域が繁栄するという、まさに今の時代に当てはまる持続可能な目標が、今日の真庭市を成功へ導いたといっても過言ではありません。

「集成材工場で出る木くずをボイラーでどんどん燃やしていたんですけど、小さなバイオマス発電1号機ではとてもまかないきれず、その大量の蒸気を使い切る方法がないものですから、蒸気を捨てていたんです。本当に情けない話で、蒸気を捨てるということはエネルギーを捨てる話ですから。それでもっと大きな新しい発電機を作ろうということになったんです」

中島さんは1998年、社内により大規模なバイオマス発電所を設置し、自社電力の100%をバイオマス発電でまかなうようになりました。

「2000キロワットの発電所を造りました。かなり大きな投資で、銀行の方からは大丈夫か、とても不安で仕方ないと言われましたよ。何とか10億円ほどを貸してもらえましたけど、融資を取り付けるまでは本当に大変でした。でも2、3年で順調に稼働するようになって、21年目に入った今でも動いています」

当時、集成材工場で必要な電気は1200キロワットほどでした。中島さんは余った800キロワット分を売ることを考え、電力会社へ交渉に行きましたが、当時は大きな壁が立ちはだかっていました。

「発電した電気に余裕があったんで、電気を売りたいと電力会社に行ったら、買いますよと。おいくらですかと聞いたら、1キロワットが2円いくらだって言うんです。これにはちょっとびっくりしました。電力会社の担当者は、お宅の電気を買ったら、わが電力会社の石炭火力発電所の燃料消費がちょこっと減ると。『焚き減らし』（火力発電所の燃料の利用量を減らすこと）というんだそうで、焚き減らしの分が2円いくらだから、買い取るのはその額にしかならないというんです。これは売電もできないな、情けないという思いでしたね」

その後、時代は進み、再生可能エネルギーの普及が社会的な流れになり始めました。2003年4月1日に、電気事業者に一定割合以上の再生可能エネルギーの利用を義務付けた法律＝RPS法が施行されたのです。

「このRPS法ができて買取額が2円台から8円台になって、ようやく社会に使っていただけるようになりました。うれしい話でした。2003年の4月1日午前零時、これで社会に電気を送れるぞ、と真夜中にスイッチを入れたのを今でも覚えています」

集成材工場で捨てていた木くずを燃料とし、熱や電気といったエネルギーに変えて自家消費し、余った電気は電力会社に売電するという「循環型エネルギーシステム」が確立した瞬間でした。その後、銘建工業は順調に業績を伸ばし続けました。

そして、2013年には、地域を挙げたより規模の大きなバイオマス発電所の開設を目指し、中島さんが中心になって真庭バイオマス発電株式会社を設立。中島さんは社長に就任しました。資本金は2億5000万円。中島さんの銘建工業が66%を出資、真庭市も12%を出資、他に地元の林業、製材業組合など計9団体が参画するという地域参加型の会社が誕生したのです。

そして2015年、出力が1万キロワットを超える日本有数の真庭バイオマス発電所が完成、

本格稼働を始めました。(口絵4ページ下)

この発電所の総事業費41億円のうち、23億円は中国銀行をはじめとする金融機関からの融資でした。その他、農水省からの補助金14億円、真庭市からの補助金2・6億円の交付を受けました。これまでバイオマスで真庭市を引っ張ってきた中島さんの実績が評価され、資金調達は円滑に進みました。

この大規模バイオマス発電所を地域一丸となって立ち上げた背景には、2011年の東日本大震災と福島の原発事故の存在があったといいます。

「特に2011年の福島の事故があってからは、エネルギーのことをみんなで真剣に考えました。エネルギーの地産地消は大きなテーマといわれていたのですが、実際にはなかなか前に進めなかった。でも、ここは目の前に素材があって、使っていない材料があるんです。真庭には製材所がたくさんあるので、いろんな工程で出てくる木くずなどをみんなに持ってきてもらえば、それが燃料としてお金になり、ちゃんとエネルギーに変わって、会社の配当も含めてお金を皆さんで享受できると。だから、銘建工業単独ではなく地域全体でやろうぜという話になったんです。それで地域にはかったら、みんなやろうと、やらねばと。地域の方も参加したい、個人も参加したいということで、地域みんなの同意を得てできた発電所だと思っています」

このバイオマス発電所が中核となり、山に放置された未利用の間伐材などが燃料として山から運び出されて買い取られ、森の資源が循環し、林業も息を吹き返し、町全体が活気を取り戻すという「真庭システム（木質資源安定供給事業）」が完成したのです。

「枝や木の曲がった部分は持ち出してもお金にならないし、今までほとんど森に捨てられていたんです。でもそれを伐り出して持ってくれば燃料になりますから、今では森の景色が変わり、きれいになって、まだ部分的ですけど山に変化が始まったんです」

未利用材が買い取られるバイオマス集積基地

真庭バイオマス発電所と真庭の山を結びつける中間地点が、真庭市には整備されています。それが、市郊外の丘に造られた真庭バイオマス集積基地です。（口絵4ページ上）

私たちが取材に訪れた時、そこには、大量の未利用材を積んだトラックが次々と坂を上がってきていました。このバイオマス集積基地では、山に捨てられていた間伐材などの未利用材が1トンあたり3000円から5000円で買い取られ、さらに山の所有者などの意欲を引き出すために、木材の買取額とは別に、所有者に1トンあたり500円を支払うという制度が導入されています。「山に捨てられ残されていたものが、お金になる」ということで、放置された間伐材などを運んで収入につなげようという人たちが続々と訪れていたのです。

業者はこの集積基地の受付で、運んできた未利用材の重量を量ってもらい、買取額を示すレシートを受け取っていました。

私が取材した男性は、小さめのトラックで山に残された未利用材を運んでいました。

「1回運んで7000円ちょっともらえます。そりゃ大きいですよ、一日に4回来るから3万円くらいにはなります。これだけで生計を立てていますよ。年金ももらってるけど、これだけで月50万円、すごいです。山に残したものがお金になる。素晴らしいことです。最高です、言うことないです!」取材のマイクにうれしそうに答えました。

この真庭バイオマス集積基地は2009年に建設されました。真庭市の林業や木材業で組織された木質資源安定供給協議会が、搬入業者にバイオマス証明書を発行する仕組みを確立。搬入者を事前に登録することで、木がどこで誰によって伐採されて集積基地に集まり、加工されるのかを整理し、記録できるシステムを構築したのです。

この仕組みでは、搬入業者は事前登録制のため、お金を得ようと他人の山の木を勝手に伐り出して持ち込もうとする違法行為を防ぐことができます。また、木がどこの森から来たのかが把握できるため、ある特定の森だけが極端に伐採されてしまうということもありません。真庭市ではドローンを活用して空からも真庭の森全体のバランスをチェックし、森林資源を有効に活用しています。

集積場には大きなスギやヒノキの丸太から、細かい枝などが山のように集められ、それぞれ分類されて並べられていました。それらは、専用の機械で皮を剥かれ、細かく砕かれて、製紙の原料や木質チップなどに生まれ変わっていました。そして、木質チップなどは木質バイオマス発電の燃料として出荷、販売されていたのです。

地域にお金を循環させる真庭バイオマス発電所

集積基地で作られた木質チップなどは、中島さんが社長を務める真庭バイオマス発電所に運ばれます。発電所では、木質チップなどを購入し、燃料としてボイラーで燃やして水を蒸気に変え、その蒸気でタービンを回して発電しています。出力は1時間あたり1万キロワットで、一般家庭約2万2000世帯分を発電していますが、その量は、真庭市の全世帯数1万8000を大きく上回っています。発電した電気は売電され、その一部は市内の小・中学校や公共施設に供給されています。バイオマス発電所の売電収入、年間24億円が地域に貢献しているのです。

また、この発電所はオペレーターと事務作業員合わせて15人で24時間連続運転しています。全員が地元の市民で正社員として雇用されています。

真庭バイオマス発電所は大規模な施設です。ボイラーの燃料を貯めておく燃料ヤード（集積所）では、木質チップや樹皮など大量の燃料が山積みにされ、一時保管されていました。

発電所を案内してくれた坂本多加雄所長は次のように説明しました。

「今ここに、700トン、2日分あります。一日300トンから350トン使います。真庭市は8割が森林ですから、ここにあるのはそこから出てくるものですね。山で放置されていた、使いようのない、捨てられていた木材を使っています。それがお金になり山主さんに還元できますので、山のためにも非常に有意義です」

最も大きな設備であるボイラーは、高さが25メートルもあり、7階建ての建物に相当します。ボイラーの横には外廊下が取り付けられていて、窓から内部を覗くと、真っ赤な炎がバチバチと音を立てて燃え続けていました。また中央操作室には、いくつものモニターが並び、ボイラーやタービンなどすべての設備を一括管理できるようになっていました。

この木質バイオマス発電所では、燃料代として年間約14億円を支払っているといいます。これまで価値がないとして山に放置されていた未利用材＝0円が、バイオマス集積基地などに運び込まれて1トン3000円から5000円という価値が生まれ、その後、木質チップやペレットなど燃料に生まれ変わることで付加価値が付き、真庭バイオマス発電所で買い取られる際には、年間14億円という大きな価値を生んでいる。これまで見捨てられていた山が、バイオマス発電のおかげでお金を生む存在になり、地域に還元されるという大きな循環が生まれているのです。

さらにこの成功が話題を呼び、全国から視察に来る行政や発電事業の関係者などが相次ぎ、最盛期で年間2500人が、今でも年間1500人ほどが訪れているといいます。

「エネルギーの地産地消は非常に大きなテーマだと思っています。目の前に素材があって、使っていない材料があるのです。それを上手に使えば、こういう新しいことができるんだぞと思っております」

中島さんは自信をもってそう語りました。

新建材CLT

さらに中島さんは、間伐材の有効利用につながる新たな建材の工場も本格稼働させていました。真庭

長さが12mある、工場最大のCLT。コンクリート並みの強度を持ち、軽くて断熱性能が高いという特徴がある。また工期短縮にも大きく貢献している

バイオマス発電所の向かいに建設され稼働を始めたのが、ＣＬＴ（クロス・ラミネーティッド・ティンバー＝直交集成板）の生産工場です。ＣＬＴは、木材を各層で互いに直交するように重ね合わせて作られた木製パネル。軽量で、コンクリート並みの強度を持ち、大きいものでは一枚の長さが10メートル以上あります。

中島さんは、工場で最大のＣＬＴの前で説明してくれました。

「このＣＬＴは、９層にわたって互い違いに板が組み合わさっています。サイズは安定していて、強度も一枚ずつ計っています。90度ずつずらして組み合わせ、このように最大で幅３メートル、長さ12メートル、厚みが30センチにもなります。こういう木材は天然には存在しないですよね」

「精度があって寸法の変化が少ない。こうして一枚の大きな板として加工しますと、現場で基礎さえできればすぐに施工できますから、コンクリートに比べて施工時間が圧倒的に短くて済みます」

木材は空気層が多いため、熱伝導率がコンクリートの約12分の1、鉄の約１０００分１と低く、それを重ね合わせたＣＬＴは断熱性能が非常に高いという特性があります。建物によっては、建築時に壁に断熱材を入れる必要もないほど優れた建材なのです。また同じ体積で比較した場合、ＣＬＴは重さが鉄筋コンクリートに比べて６分の１と軽く、耐火性能も高いといいます。

もともとヨーロッパで誕生した技術で、現地ではCLTを使った木造の高層マンションなども建てられるなど、急速に普及が進んでいます。

さらに特筆すべきは、CLTで造られた建築物の強度です。中島さんは次のように説明しました。

「6、7年前から耐震試験をしていますけど、箱型の建物で阪神・淡路大震災の揺らし方でも全く壊れない、熊本地震の震度でもほぼ壊れない家が、計算上できました。人間の生命が何よりも大事ですから、熊本地震の倒壊事例を見ると、建物が壊れないことが本当に大事だと思います。このCLTで造った建物は強度計算ができますから、災害に強い住宅を設計し、建てることができるのです」

ここ数年、CLTは日本でも注目されていて、CLTで造られた建物が各地に誕生しています。CLTは東京オリンピック・パラリンピックの開会式が開かれる新国立競技場にも一部採用されています。また2021年の完成を目指して、東京の銀座通りに、木材をふんだんに使った地上12階建てのビルが建設されることになりました。高さが56メートル、木造と鉄骨造のハイブリッド構造で、耐火構造となっています。デザイン監修を建築家の隈研吾氏が担うこの建物には、銘建工業のCLTが使用される予定です。

生まれ変わった真庭の森

私は森林組合の方と一緒に、好循環が始まった真庭の山を実際に訪ねてみました。真庭の山は活気にあふれていました。随所で手際よく間伐が行なわれ、伐り倒された間伐材は山に放置されることなく、最新の機械によってその場で小さく裁断されてトラックに載せられ、次々と運び出されていました。

間伐が済んだ山に登ってみると、高く育ったスギやヒノキの枝の合間から、日の光がしっかりと差し込んでいます。光は地面にも十分に行き届き、足元には多くの下草が元気に生えていました。そしてスギやヒノキはしっかりと大地に根を張っていたのです。

真庭森林組合で30年以上働き、現在は木質資源安定供給協議会に勤めている新幸弘基さん(57)は、この山を歩きながら、森の保水力が戻ってきたと話しました。

「間伐が行なわれている森では、光が入ってきて植物も生えてきています。大雨が降っても土が流出しないという、山が本来持っている機能が回復してきたと言えると思います。

先人が一生懸命植えた木がいっぱいある。それを伐って、新たに苗を植えて、初めて循環社会が成り立ちます。育てることには何でも、手を加えることが大事です。手を入れないとうまくいかないですよね。保水力も落ちます。それだけでなく、昔は間伐材を山に放置していましたが、今はすべて運び出してお金になっているんです」

新幸さんは変化が始まった真庭の森を前に話しました。

「昔は1ヘクタールで1億円は売れるといって、山でかなり儲かった時代があったんです。それが時とともに、価格がだんだん下がって、どんどん魅力がなくなって、逆に自分は年齢が上がって手を入れられず、放置状態になってしまいました。そこへ台風で山が崩れてしまったりして、より手がかかるようになっていたのです。その頃は非常に寂しい、活気がなくなった商店街のような気分でした。

けれども、今はバイオマス基地や発電所ができたんで、がらっと変わってきました。これが起爆剤になればいいなと思っています」

木質資源安定供給協議会の新幸弘基さんは、真庭の森と向き合って30年以上。ここ10年の大きな変化を見守ってきた

新幸さんは真庭の森に明るい未来を感じているようでした。

「バイオマス発電は、非常にありがたいです。今、光は見えてきています。それをいかに大きな光にするか、私どもも、皆さんと手を携えていければと思います」

バイオマス発電を中心に山の資源が循環し、森が再生されるにしたがって、林業を始めたいと真庭市へ移住してくる若者も増え始めました。私たちが取材している最中も、病院の事務職から転職して林業家になったという若者が、山に入り重機で木を伐り出していました。その男性は、生き生きと語ってくれました。

「自分の手で山をきれいにしたい、同時に、家庭に時間が持てるような仕事をしたかったので転職しようと思いました。うっそうと茂った山が、木を伐ってすっきりし、仕上がった時には本当にきれいだなと実感できるのが魅力です。木を伐るだけで簡単だと思っていましたが、木は曲がっていたり、まっすぐだったり、すごく神経を使います。でも前の仕事よりもだいぶやりがいがあります。これからも続けたいですね」

まだまだ人口減少の現実には厳しいものがあります。高齢化の進む真庭市では、この10年で全人口の1割以上にあたる約6500人も人が減っています。

しかし、合計特殊出生率は上昇傾向にあり、岡山県内の市で最も高い1・86（2016年）

と、全国平均を大きく上回っています。第3子の出生率も県内でトップクラスと非常に高く、子だくさんな家庭が多い地域です。若い夫婦が安心して子供を産み、育てられる環境があるのです。

さらに税収は、この10年間で落ち込むことなく50億円前後を維持しています。森から始まる循環型経済が地域に大きく貢献しているのです。

真庭市総合政策課主任の富永翼さん（36）は、「木質バイオマス発電を中心とした取り組みが、地域内のお金と物の循環を高めていて、真庭市全体にも大いに貢献しています」とその効果を話しました。

「今までは、山を見ても青いばかりで何もないと年配の方がおっしゃっているのを聞いたことがあります。針葉樹の人工林は管理が難しいし、手間もかかる。放っておけば山はどんどん劣化します。しかし、植えて成長した分をどんどん使いながら次を植える、この循環が起きれば、山は永遠にちゃんと価値を生む、宝の山になると思います」

真庭の美しい森を眺めながらそう話す中島さんの表情は自信に満ちていました。

日本全体の森の現状について話が及ぶと、中島さんは次のように語りました。

「ヨーロッパの人と話すと、ヨーロッパの山は宝になっているのに、日本はなっていないと言われます。日本は木を使うのが上手な民族だったはずなのに、この30、40年忘れてしまって、使い方がえらい下手なんです。知恵はあるはずですから、使いながら育てていけば、ヨーロッパ並みのことはできると思います。

日本の森は、戦後、針葉樹を一斉に植えましたが、これは歴史で初めてのこと。今まで経験していないわけです。広葉樹の山だったところを針葉樹に一変させたということは、その針葉樹を手入れするしかないわけですよ。手入れしなければ逆に、災害の元になります。

ちゃんと伐っていって、次に何を植えるか。もう一回考え、30年後、50年後を想定して、そこも全部含めてちゃんと多様な森をつくり多様な使い方ができれば、森は永遠に富を生むと思っています」

この章のまとめ

◉真庭市ではバイオマス発電が成功。2億円の投資は2年で回収。

◉ 2000kW のバイオマス発電を社内に設置して自社電力の 100% をまかない、余った電気を売電する「循環型エネルギーシステム」を確立。

◉地域参加型の発電会社を設立。国内有数規模の1万kW のバイオマス発電所を建設。総工費 41 億円。2.2 万世帯分の発電。売電収入年間 24 億円。

◉燃料は森に捨てられていた木。1t あたり 3000 ～ 5000 円で買い取られ、燃料に加工。年間 14 億円が地元に還元される。

◉新建材 CLT 開発が国内需要を呼び、さらなる発展が期待。

◉副次的には森林再生、雇用創出、新規人口流入。

第5章

太陽光の集中管理、電気自動車の大量導入でエネルギー自給率50%へ

沖縄県・宮古島

「エコアイランド計画」実践の島へ

ここまでは、再生可能エネルギーを軸にして人口減少問題に挑んできた各地域の取り組みを中心にご紹介してきました。

この章では、再生可能エネルギーの地産地消を進め、エネルギー自給率を高めることで地域の環境を守り、持続可能な社会を実現しようとする取り組みをご紹介します。

その場所は、東京から南西へおよそ1800キロ。沖縄で最も美しいといわれるエメラルドグリーンの海に囲まれた南海の楽園・宮古島です。

今、日本のエネルギー自給率は、11・8％（2018年度）と先進国の中で最低レベルです。宮古島もエネルギー自給率が、2018年度で2・83％しかなかったのですが、これを、再生可能エネルギーを最大限導入することによって、2030年度に22・1％に、2050年度には48・9％にまで高めようという壮大な計画「エコアイランド宮古島宣言2・0」を市が打ち出したのです。

注目されるのが、この計画を実践している民間企業の先進的な動きです。

住宅の屋根に太陽光発電を、さらに各戸にエコ給湯器を無料で配布し、コンピュータで遠隔操作することによってエネルギーを一括管理する取り組みや、電気自動車を大量導入して動く蓄電池として利用するなど、斬新な手法が取り入れられているというのです。これにより、天候など気象条件によって不安定になる再生可能エネルギーを安定的に供給し、台風が直撃した際には、市民生活を停電の危機から救ったといいます。

２０１９年９月、私は成田空港からＬＣＣ（格安航空会社）のジェットスターを利用し、宮古島を目指しました。実は宮古島では、橋でつながっている伊良部島を介して陸路で結ばれた下地島に、この年の春、「みやこ下地島空港ターミナルビル」が新たに完成し、地域の第二空港として開業したばかりでした。

成田から飛べば、時期にもよりますが、片道１万円以下というＬＣＣならではの値段で宮古島まで行くことができます。成田から直行便で３時間。ＬＣＣとはいえ、乗ってしまえば座席の狭さなどほとんど感じません。機内では予約しておけば軽食も食べられ、快適な空の旅となりました。

やがて機内から見えてきた珊瑚礁に浮かぶ島の海は、まさにエメラルドグリーンに輝き、息をのむほどの美しさです。完成したばかりのターミナルビルは、沖縄独特の赤瓦の屋根をあしらった開放感あふれる造りで、建物の中央には大きなプールのように水がたたえられ、まるでリゾートホテルにいるかのような南国の雰囲気がたっぷりです。

そしてターミナルビル内部には木材が豊富にあしらわれ、やさしい温かい雰囲気を醸し出していました。そこで使われていたのは、第4章でもご紹介したＣＬＴ（直交集成板）でした。ＣＬＴが空港ターミナルに使われるのは全国初で、１棟あたりの使用量も全国一の施設だということです（２０１９年11月現在）。

さらに下地島空港は、空港のターミナルビルとしては全国初の「ネット・ゼロ・エネルギービル（ＺＥＢ）」でした。建物で消費する年間の一次エネルギーの収支をゼロにすることを目指す建物のことで、そこには省エネのための数々の仕掛けが施されていたのです。

まず屋根には、沖縄の強烈な日差しを遮るために、40センチもの厚みのあるＣＬＴが設置されました。ＣＬＴはコンクリートに比べて熱伝導率が約12分の１と低く、断熱性能が極めて高いという特性があり、

みやこ下地島空港ターミナルビル。CLT が多用され、木の薫りとそよ風が心地よい

太陽の熱が室内に伝わるのを防げるのです。さらに、建物の端には最大5メートルにも及ぶ長い庇が設けられ、直射日光を遮蔽していました。建物の間口は大きく開けられ、そこから自然な換気が常時行なわれ、建物内を爽やかな島のそよ風が吹き抜けていました。こうした工夫は、沖縄に古くからある琉球建築からヒントを得たそうです。さらに気化熱空調システムなど最新の省エネ技術を極めた設計により、国の基準より7割近くも一次エネルギー消費量を削減しているのです。

みやこ下地島空港ターミナルビルは、9月上旬の沖縄の暑さを忘れてしまうかのような、自然の心地よさを満喫できる建物でした。エコアイランド宣言をしている宮古島市の玄関口にふさわしい、環境に最大限配慮した佇まいに、私は深く感心しました。

私たちは下地島空港から車に乗り、エメラルドグ

狭い水路を挟んで下地島に隣接する伊良部島と宮古島とを結ぶ伊良部大橋は2015年1月に開通。無料で渡れる橋としては日本最長の3540mを誇る

リーンとコバルトブルーのグラデーションが鮮やかに広がる海を眺めながら伊良部大橋を渡り、20分ほどで宮古島に到着しました。

観光客急増で建設バブル。市民生活にも影響が

まず向かったのは、エネルギー自給率をおよそ50％まで高めるという壮大な計画を打ち出した宮古島市役所でした。なぜ、ここまで大胆な計画を打ち上げたのか、その理由を直接聞いてみたかったのです。

エコアイランド推進課係長の三上暁さん（40）は東京の八王子市から2002年に移住したという経歴の持ち主で、宮古島の美しい自然を将来にわたって持続可能にしなければならないという強い信念を持っていました。三上さんは、市役所の

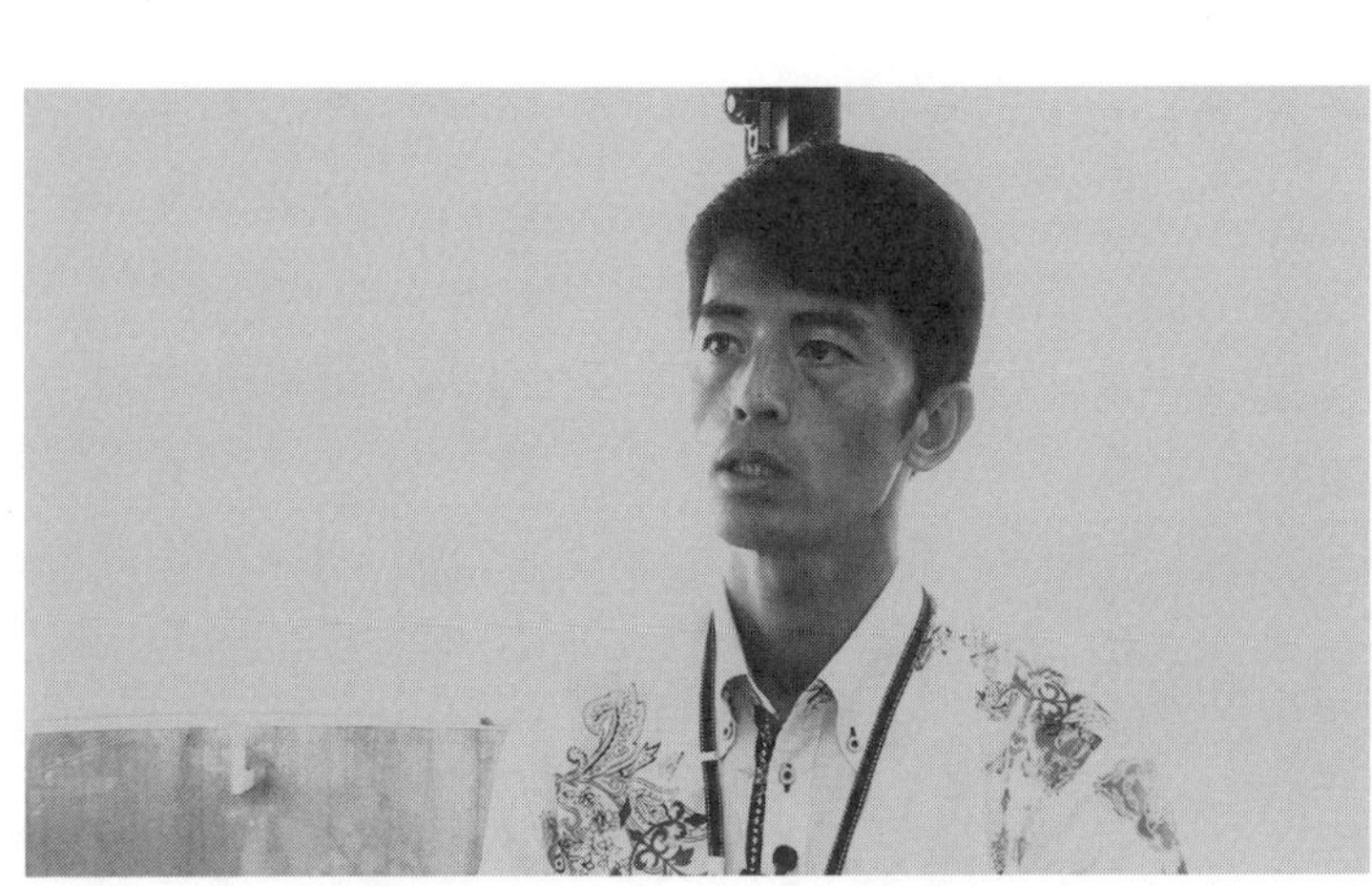

宮古島市エコアイランド推進課係長の三上暁さん。エネルギーの地産地消を進めることで、経済発展と市民の暮らしの改善が両立できると語る

窓から望める美しい海に時折目をやりながら、宮古島が抱えている大きな問題を私たちに話してくれました。

「島を訪れる観光客が急激に増えていまして、2014年に43万人だったのが、51万人、70万人、98万人、114万人と、2018年度はついに100万人を突破したという状況です」

宮古島では、隣の伊良部島とを結ぶ伊良部大橋が完成し、クルーズ船も寄港するようになってから観光客が増え始め、その数が、この5年でなんと3倍近くにもなっているのです。もちろん観光客が増えるのは島にとってありがたいことなのですが、人口がわずか5万人の宮古島ではあまりの急激な増加に、最近、数々の問題が浮上してきているというのです。

「リゾート開発を含む建設が非常に増えてまして、建設作業員の方がどんどん外から入ってきますので、その方々が住む住居が増え、建設需要が旺盛になっています。住民への影響として一番わかりやすい例としては、家賃の高騰です。月に数万円上がるという事例も聞いてまして、市民生活にも大きな影響が出ています。

市民の間でも、マイナスの影響は実感があるけれど、プラスの実感はあまりないといわれています。経済の活性化の恩恵がどこに行っているかが見えない状態なので、我々はそれを課題と捉えています」

確かに島内を車で走ると、あちらこちらでホテルやアパートなどの建設工事が続けられていました。宮古島では今、バブルともいわれる現象が起き、家賃の高騰をはじめ、市民生活に多大な支障が出ているのです。

島の不動産店を訪ねると、こんな実態を教えてくれました。

「3、4年前だとワンルームで月3万、4万円台だったんですけど、今は安くて5万円以上。高いとこですと12万、13万円とかありますね。かつてと比較すると2倍以上、3倍近くまで上がってるんじゃないかな。地元の人がだいぶ困ってます。今住んでる部屋も家賃が上がってきてるので、引っ越したくても引っ越せない、部屋を出たとしても今のところの方が安いとか……。私の知り合いでも、実際住んでいるところが月に2万円上がったり、3万円上がったりとか、そんな話を結構耳にします」

さらに、夜の繁華街では驚きの光景が広がっていました。

飲食店が立ち並ぶ通りには、夕方になると食事を求めて大勢の観光客が殺到し、ほとんどの飲食店が満席になり、簡単にはお店に入れなくなっていたのです。観光客の皆さんも3軒ほど回ってようやく入店できるような状況で、なかには6、7軒回ってまだ入れないという方もいました。

こうしたなか、観光客の急増によって長期的には島の電気が足りなくなる心配も出てきたのです。飲食店が最も賑わう夜8時には、島の電力消費量もピークを迎えます。観光客や、新たな建物の増加で、島はかつてないほど電気を必要としています。

しかし、島の電力は外から重油を運んでくる火力発電に9割を頼っています。仮に火力発電所をこれ以上増やせば、二酸化炭素の排出量が増え、美しい島の環境に負荷をかけることにもつながってしまいます。

差し迫った状況から宮古島市では、持続可能な島の将来を考え、地下水の水質改善や家庭ごみの減量、珊瑚礁の維持管理、固有種の保存、さらに再生可能エネルギーを最大限導入してエネルギー自給率を高めるというエコアイランド宣言を出したのです。市の職員、三上さんは次のように続けました。

「地域経済が活性化すること自体はいいのですが、持続可能な島づくりを目指す上で弊害が出てきた時に、それをどう抑えていくのか。

エネルギー需要はどんどん増えているけれども、それをすべて外のエネルギーに頼っていると、経済的にもリスクになっていきます。それを何とか地産のエネルギーでまかなって、経済的にも島の中で回っていくことで、市民の実感につながっていけば、経済発展と市民の暮らしの改善が両立できると考えています」

火力発電に依存する従来のシステムでは、電気代は島外の企業に流れ、最終的には国外に流出します。しかし、それを太陽光発電など地域にある再生可能エネルギーでまかなえば、設置やメンテナンスなどで島に新たな雇用が生まれ、お金は島内を循環することになるというのです。

「太陽光はここにある資源ですので、それを電気に変えて、市民の方が使う時にお金が発生するわけですけど、そのサービスが地元主体の事業者によって提供されれば、地元の人の所得につながって、またそれが消費につながって、経済が回る形になるのではないでしょうか。

地域の財産を生活の中で使っていくことで、経済的な循環につながります。

地域の人たちが自分事としてエネルギーを捉えられる。お金さえ払えば買えるものというより、ここにこういう資源があるから私たちは暮らせるんだと考えられる。そうした点に気付くきっかけになれば、そこにはお金では見えない価値があるとも思っています」

エネルギー自給率を高める背景を、説得力を持って語る三上さんの言葉からは、宮古島の環境や未来に対する強い思いと信念が感じられました。

太陽光集中管理、再生可能エネルギー自給自足の現場

私たちは、この宮古島が目指すエネルギー自給自足の最前線の現場に向かいました。訪ねたのは、宮古島のエネルギー革命の仕掛人、比嘉直人さん（49）です。比嘉さんは、かつて沖縄

電力グループで働き、再生可能エネルギー事業などにも取り組み、台風が直撃する前にあらかじめ倒して備えておける風力発電の「可倒式」の風車を日本で初めて導入したアイデアマンです。

可倒式風車はフランス製で、暴風にさらされる沖縄の離島を中心に導入が進み、２０１８年には、南太平洋のトンガ王国にも5基が納入されました。（口絵7ページ下）

現在は自らの会社を立ち上げ、宮古島市と連携する形で、島のエネルギーの未来を見据え、これまでにない画期的なシステム作りに取り組んでいるのです。

比嘉さんと一緒に向かったその現場は、エメラルドグリーンの海を望む場所にある市営住宅団地でした。

車を降りて市営住宅の建物に向かうと、すぐに特徴的な屋根に目を奪われました。周囲の団地のすべての屋根に太陽光パネルが設置され、南国のまぶしい太陽の光を受けてきらきらと輝いているのです。（カバー写真、口絵1ページ）

「屋根上にあるのが、おおむね20キロワットぐらいの太陽光パネルですね。コントローラーもあの位置に付いてまして、無線通信で状態を遠隔監視できるようになってます」

いまどき、太陽光パネルが付いている住宅はもちろん珍しくありません。しかし、比嘉さんの手がけているプロジェクトには様々な仕掛けが施されているのです。

昼間に太陽光発電で給湯器のお湯を沸かし保温、夜にそのお湯を使うことで、エネルギーの需給バランスを調整する

「太陽光パネルは市営住宅40棟、202世帯分、エコ給湯器も120台設置して、120世帯にお湯を届けています。これは新しい形の太陽光発電普及の形として、第三者所有モデルと言ってます。

我々の事業所の設備として太陽光パネル、エコ給湯器を無償で設置させていただいて、お湯を使った分だけ料金を支払ってもらうという形で契約しています。設置と導入の費用に関しては我々がすべて負担していますので、全くの0円。無償でスタートさせてもらってます」

このシステムでは、比嘉さんの会社が住宅の屋根を借用する形で設置した太陽光パネルで発電した電気は、固定価格買取制度を利用して売電するのではなく、各戸に設置されたエコ給湯器のお湯を沸かすのに使われます。利用者は、初期費用が全くかからず、給湯代が従来よりも1割から2割程度安く使用できるという仕組みなのです。利用者には非常にお得なプランと言えます。

なぜこのようなビジネスが可能なのか。比嘉さんはその秘密を、太陽光パネルの価格が急速に安くなっていることにあると話しました。

「実際に太陽光パネルは20年前に比べると10分の1の価格まで下がってきましたし、性能としては10年前に比べて2倍ほどにもアップしています。我々は、太陽光パネルは今後もっと価格が下がると思っていて、大量に普及する時代を見据えて一歩先を行くような形でビジネスモデルを始めています」

「私たちは固定価格買取制度は使っていません。これまでは太陽光発電を普及させながら売電して、その収益で設備費を回収するというビジネスモデルでしたが、太陽光パネルは十分安くなってきましたので、今後はいわゆる自家消費型に切り替わっていくと思います。

そこでは、どう効率よく自家消費をするかが非常に大事で、エコ給湯器、家庭用蓄電池、EV充電などに利用していくのが今後は標準的になっていくでしょう。我々はそれを先取りでやっていまして、発電した電気の余剰分もわずかに出てくるんですけど、それは沖縄電力さんと相対取引（市場を通さず直接行なう取引）で売電しています」

まさに、卒FIT、固定価格買取制度終了後の世界を実践している比嘉さんのプロジェクトなのですが、ユニークなのは、太陽光発電をエコ給湯器と組み合わせている点です。市営住宅の屋根に設置した太陽光パネルで発電した電気で、昼間にエコ給湯器でお湯を沸かしているのです。

「通常のガス給湯器の場合は夕方、利用者の方がお湯を出す瞬間に沸き上げてしまうのですが、エコ給湯器は貯湯槽を持っているので、お湯を沸かす時間と使う時間を分けることができます。昼間、太陽光の電気を使って省エネで効率よくお湯を沸かして貯めておくことで、夕方、利用者の方々の入浴に使っていただくことができるのです」（口絵2ページ上）

このシステムは、エコ給湯器をあたかも蓄電池のように使うことで、日没後は全く発電できない太陽光エネルギーを、間接的に夜間にも利用できるようにしているのです。

ポイントは、各住宅に設置されたこのシステムが無線通信で比嘉さんの会社のコンピュータとつながり、遠隔操作で一括管理されている点です。

「一般家庭ではこのような貯湯槽のリモコンが家の中にあると思うんですけど、我々の場合、無線通信で事務所のコンピュータに飛ばし、遠隔からコントロールしています。我々の事務所で制御して一台一台動かせますし、常時監視して、天気予報を見ながら制御するということもやってます」（口絵2ページ下）

この太陽光とエコ給湯器を使った発電システムは、集中管理、一括操作を行なうことによって、例えば天気の悪くなりそうな予報の時には、地域のお湯を太陽の出ているうちに一斉に沸かしておくなどして、再生可能エネルギーの不安定性という弱点を補っているのです。

「再生可能エネルギーを成り行き任せでいろんな場所で発電すると、どうしてもその地域の電力の需給バランスが崩れてしまいます。うまく監視と制御をすることで、そのバランスを崩さず、この離島という限られた地域により多くの再生可能エネルギーを導入し普及させていくことができると考えて、その先進的モデルとしてこの事業に取り組んでいます」

蓄電池役としてエコ給湯器を採用したことにも理由がありました。

「蓄電池は高いものですので、コスト的にすぐには導入できませんでした。まるで蓄電池のように動くものって何かないか、同時に、一般家庭に設置しても蓄電池のように遠隔から制御できるものがないかと考えた時、最適なのがエコ給湯器だったのです。それを、地域の一台一台がバラバラに動くのではなくギュッと束ねることで、まるで仮想の巨大な蓄電池のように、うまく再エネとリンクして動かすようなことができればと発案したのです」

エコ給湯器は単体としても優秀な省エネ機器で、ヒートポンプ機能を使って、投入した電気エネルギーの3倍もの熱エネルギーを発生させることができます。（注：ヒートポンプ機能とは、空気中の熱をポンプのようにかき集めて大きな熱エネルギーとして利用する技術。エアコンや冷蔵庫などで利用されている）それを魔法瓶のような貯湯タンクに貯めることで、24時間いつでも給湯でき、沸き上げのための電力消費と給湯のタイミングを分けることができるのです。

ちなみに、エコ給湯器を大量に一括調達したこともあり、蓄電池を設置するより5割も安いコストで導入できたということです。（口絵2ページ上）

利用者はどう感じているのでしょうか。実際にこのシステムを使用している方にお話を伺うと喜びの声が返ってきました。

「台風の時も、これまでだと停電になるとお湯が使えなかったんですね。それがこの前、46時間ぐらい停電してたんですけど、その日だけでなく翌日までお湯が使えましたので、だいぶ重宝しましたね」

さらに利用料についても、導入前の年の同じ月を通帳で確認していただくと、給湯代が1700円安くなっていました。

「そんなに変わったんだ。すごい！　導入してよかったですよ。本当に！」と顔をほころばせていました。（注：月1人100円の利用料が半年間、別途必要）

世界最大級の「地下ダム」との連携

次に私たちが比嘉さんと一緒に向かったのは、島の東側にある地下ダムと呼ばれる施設でした。見たこともないような巨大な構造物なのですが、宮古島特有の石灰岩の大地が直径50メートルほどにわたってすり鉢状にくり抜かれ、低い中央の部分に堰が設けられ水が蓄えられていました。（口絵3ページ上）

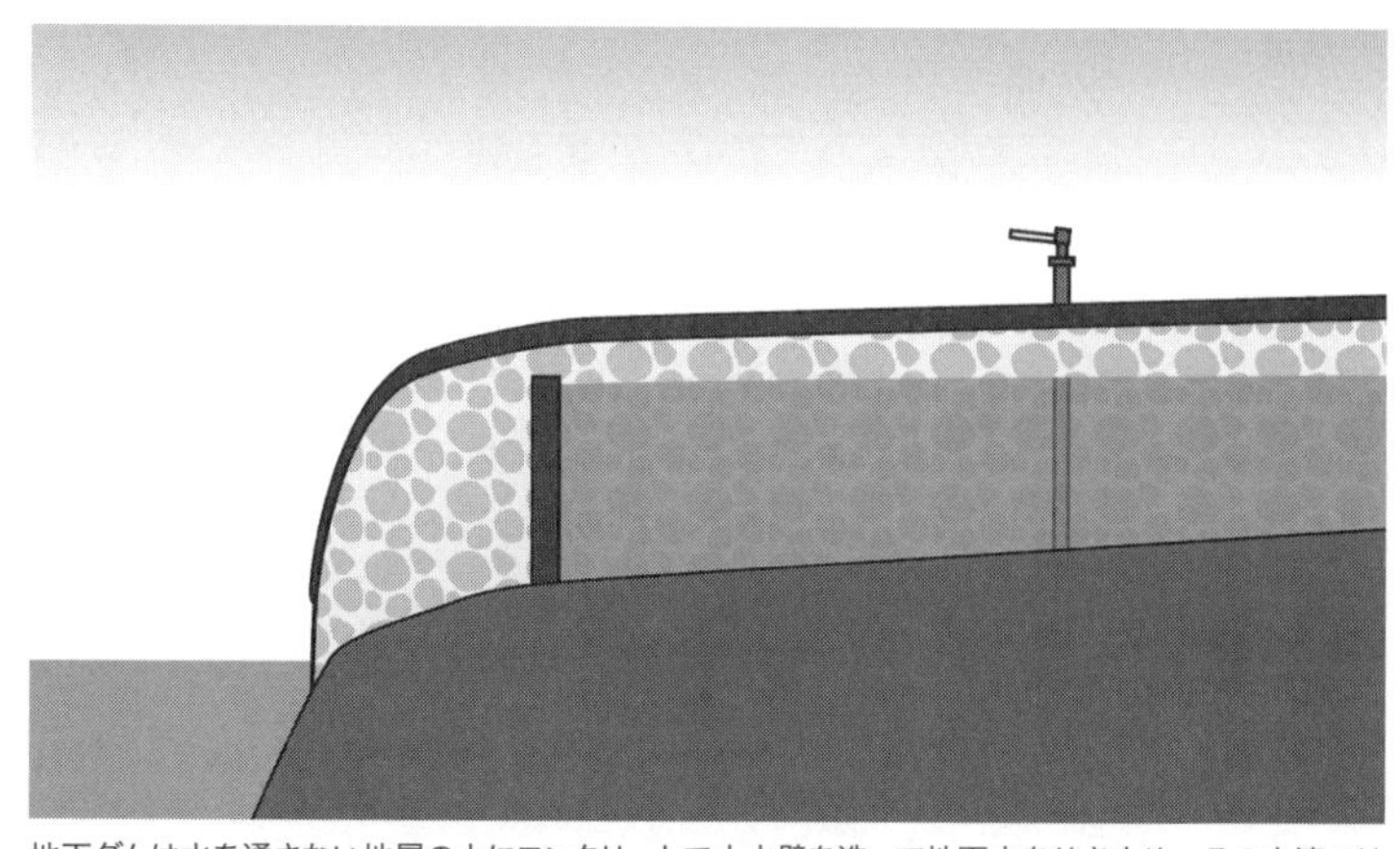

地下ダムは水を通さない地層の上にコンクリートで止水壁を造って地下水をせき止め、その上流では水を通しやすい琉球石灰岩の隙間に水を貯めている

「こちらでは地下ダムの一部が見えているのですが、この水面が地域の地下一帯に広がっているという特殊なダムです。宮古島は山や川がない島で、降った雨水が地下に浸透します。その地下に浸透した雨水が海に流れていくんですけれど、コンクリートの止水壁を地下に埋め込むことで、それをうまく蓄えられるようになったのです」

大きな川のない宮古島では、貴重な農業用水を確保するために、地下60メートルまで止水壁を埋め込み、海に流れ出る地下水をせき止めることで、世界最大級の地下ダムが造られていました。私たちが見たのは、地上に露出したダムの止水壁の一部で、その長さは1790メートルにもなり、ほとんどは地下に埋められています。

島名産のサトウキビを育てる水は、この地下ダムから主に夕方に電気を使って汲み上げています。比嘉さんは、汲み上げるタイミングを遠隔操作し、電力需要のピークを避けて使用量の少ない深夜に水を汲み上げる計画を練っているのです。

「島には兼業農家さんが多くて、帰宅後の夕方に畑のスプリンクラーのバルブを操作する人が増えて水が消費されます。そうなると、汲み上げるためのポンプの動力が、島の電力需要を1割も引き上げてしまうのです。

夕方は島の観光客がホテルに入る時間帯で、島の電力需要がピークを迎えるタイミングと重なります。スプリンクラーは、今は手動でバルブを開けていますが、これを電動で開ける装置を開発しています。これができあがると、無線通信を使って遠隔でバルブを開けて、なるべく深夜に水を汲み上げ、時間を分散して運用していくことを狙っています。ここでも電気の需要と供給の調整ができると考えています」

比嘉さんは、このスプリンクラー遠隔操作装置のプロトタイプをすでに完成させ、これから量産化を検討しているといいます。

電気自動車を「動く蓄電池」に

宮古島市がエネルギー自給率向上のためのもう一つの柱として進めているのが、全島におよそ4万台ある車のうち75%にあたる3万台を、2050年までにすべて電気自動車にすることです。現在、宮古島にある電気自動車は300台ほどなのですが、市では、電気自動車を購入する際、国の補助金だけでなく独自に10万円を上乗せし、島内に、無料で充電できる充電スポットを10か所、1回300円の有料充電スポットを6か所設置するなど、電気自動車購入への支援策を拡充しています。その狙いは、電気自動車を「動く蓄電池」として広めることにあるのです。

私は、電気自動車に特化したショールームを経営している島内の自動車販売店の社長、新城

浩司さん（39）の元を訪ねました。新城さんのショールームには最新の電気自動車が並べられていました。（口絵3ページ下）

「このショールームの上に太陽光パネルが乗っているので、そこから電気自動車へ充電することができますし、逆に夕方、太陽が沈んだ後には、車から建物への給電が可能になっています。今、世の中では、太陽光パネルで発電して電力会社に売電するケースが多いと思いますが、私のところでは、発電したものはすべて自分たちで使っています。島のエネルギーとしてちゃんと使えるような環境をつくっていこうと思いながら取り組んでいます」

新城さんのショールームでは、屋根に取り付けた太陽光パネルで発電した電気は電気自動車への充電や建物の照明などに使い、余った分は建物内で充電しています。実はショールームの床下には、中古の電気自動車から取り外した充電池が設置されリユースされています。自家発電、自家消費をした上で余った電気をここに貯めているのです。新城さんは、電気自動車の蓄電池としてのコストパフォーマンスの高さに注目していました。

「この電気自動車1台からの給電で、一般家庭の3日分ぐらいはもつので、大容量の電池と見ていただいて問題ありません。電気自動車のバッテリーはかなりの容量があるし、コストパフォーマンスも高いのです」

新城さんの言葉通り、日産の電気自動車リーフのバッテリー容量は40キロワットアワーと62

キロワットアワーの2種類で、一般的な家庭用の蓄電池の容量4〜15キロワットアワーを大きく超えています。リーフの価格は40キロワットアワーのモデルでおよそ330万円から。補助金が出るので仮に300万円と考え、1キロワットアワーあたりのコストで比較すると、電気自動車が約7・5万円。国内メーカーの家庭用蓄電池が18万円前後とされていますので、電気自動車が圧倒的に優位に立ちます。

「金額だけで比較すると車の方がどうしても高く見えちゃうんですけど、蓄電池として見ると圧倒的に安いので、かなりお得なんです。この辺に気づくと、あれ？　蓄電池を買うよりは電気自動車の方がいいんじゃないかと思える。それにタイヤがついてますから〝走れる電池〟、走れる〝大容量の蓄電池〟なのです」

宮古島では頻繁に台風が通過し、時には停電の被害も発生します。この年9月の台風13号で島が停電した際、事前にフル充電しておいた電気自動車がまさに「動く蓄電池」として力を発揮したといいます。

「台風が過ぎた後、ここ宮古島も停電していましたが、電気自動車をつなぐことによって建物内の電気を車から供給でき、周囲はまだ停電していても、この施設だけは復旧している状態を保つことができました。それを見て、携帯の充電ができない人がここに来て、充電するということもありましたね。

エアコンも使えていましたので、ちょっと涼みながら携帯を充電して、ある程度したら帰っていただくという感じでした。冷蔵庫も普通に使える状態でした。台風で停電になることを想定してこのショールームは作っていますけど、実際に動いてくれて、こうした施設がやっぱり必要なんだって感じています」

私たちは新城さんから、台風で4日間停電が続いた島の周辺部で、電気自動車により停電を免れたカフェがあると聞き、実際に訪ねてみました。

宮古島市の中心から車で40分ほど、島の東端に近い場所にそのカフェはありました。店主の砂川丈見さん（39）は、その時のことをこう語ってくれました。

「台風13号の時は非常に大変でして、停電して、最初、発電機を探したんですけど、どこもレンタル中。そこで思い出したのが電気自動車でした。あれがまさに動く蓄電池と言いますか、私が新城さんの会社に電気自動車を借りに行き、それを運転して戻ってきました。電気自動車のコンセントから延長コードで引っ張ってきて、業務用の冷凍庫2台、冷蔵庫2台、氷冷機1台につないで十分にまかなえましたね」

砂川さんのカフェには屋上に太陽光パネルが設置してあります。電気自動車が充電のために一日一回、市役所の充電スポットに向かっている間は、この太陽光発電を自立運転モードに切り替えてカフェで使い、電気を切れ目なくまかなえたといいます。

「隣の多良間島という離島に『八月踊り』という3日間踊るお祭りがあるんです。そのお弁当とオードブルを頼まれてまして、台風が来る前に食材を結構買い込んでたんですけど、それが無駄にならなくてとても助かりました。

お弁当を作るための電力も一部まかなえ、できたお弁当を飛行機で多良間島に送って、間に合ったという喜びの声をあちらからいただきました。ご迷惑もかけず、信頼も失わず、非常に丸く収まりました」

砂川さんは次に車を買い替える際は電気自動車にしようと心に決めたそうです。

島の将来のエネルギー像

宮古島の南端には、10年ほど前に国が実証実験として設置した広大なメガソーラーがあります。宮古島の再生可能エネルギー普及の仕掛人、比嘉さんは、このメガソーラーが望める高台でこれからの再生可能エネルギーのあり方について話しました。

「地上設置型のメガソーラーは本当に必要か、これから議論になると思います。こちらでは合計2万枚の太陽光パネルがありまして、設置してから10年になりますけど、あの頃から現在にかけて太陽光の変換効率は2倍に進化しました。同じ4000キロワットの容量で作ろうと思うと、この面積の半分で済みます。それぐらい太陽光パネルは進化してきたのです。値段も下がり設置しやすくなったので、住宅の屋根の上でも十分、一つの世帯をまかなえるだけの電力を生み出すことができます。これからは住宅の屋根を利用した分散型で、自家消費するのが主流になると思います」

比嘉さんの会社では新たに、戸建て住宅向けプランの募集も始めました。戸建て向けでは、太陽光パネルと住宅用蓄電池が無料で設置される形を基本としています。太陽光で発電した電気は昼間は直接自家消費され、余剰分は蓄電池に充電しておき、それを夜間に自家消費します。

この蓄電池付きプランでも、電気代は従来の電力会社との契約と比べて同等以下にできるといいます。蓄電池の価格が下がってきたことや、太陽光パネルや蓄電池を設置する際の施工費を下げることができたため、このプランが可能になりました。台風で停電することの多い宮古島では、この蓄電池付きプランへのニーズが非常に高いのです。

比嘉さんは将来的には、この太陽光パネルと蓄電池のセットで、遠隔操作による集中管理を実施し、電力の需要と供給のバランスをとることを目指しています。

宮古島での取材の最後に、比嘉さんは島の未来のエネルギー像についてこう語りました。

「この島は、太陽光も風力もあるけれど、島のエネルギー自給率は3%に満たないのが現状で、残り97%はすべて島外から持ち込んでくる化石燃料に依存しています。この島で100年後も

200年後も暮らしていくためには、これから来るであろう化石燃料が調達しづらい時代も見据えて、島の中で再生可能エネルギーによってしっかり暮らしを成り立たせる世の中を目指していかないといけないし、我々はその一助になるべく頑張っています。

化石燃料を購入するということは、どうしても資金が島外に流れ出てしまいますから、うまく島の中で金融経済を循環させながら、次の新たな太陽光の拡大につなげていくという意味で、その循環を生み出せるようにしていきたいのです。

もともとは島のことを考えながら始めたプロジェクトなんですけど、日本全体でも同じように課題を持っている地域が多いことを感じてまして、各地で同じようなモデルが使えるように、自分たちの技術をどこでも利用できるように取り組んでいます。

太陽光発電の大量普及は不可逆的に始まっていますし、これをしっかりコントロールして地域で十分に活かすことが必要になると思います」

燦々と降り注ぐ太陽の光を最大限利用しようという宮古島の取り組みから、エネルギーの自給自足による新たな循環型社会の姿が見えてきました。

この章のまとめ

◉宮古島では急激な電力需要に応えるため、太陽光発電を積極導入。エネルギー自給率50%を目指す。

◉太陽光発電は一括管理され、エコ給湯器が電池代わりに。エネルギー需要と発電時期のズレを調整。

◉第三者所有モデルにより初期費用ゼロ。利用者は光熱費を1～2割節約。

◉EVを「動く蓄電池」として活用。購入時に補助金。

◉可倒式風車を導入し、台風による暴風に備えている島も。

◉市営住宅40棟に太陽光発電設備（1217kW）およびエコ給湯器（120台）を無償で設置。4年目を目途に黒字化を目指す。

◉島の水がめ、地下ダムから汲み上げる農業用の散水スプリンクラーを自動で遠隔操作し、電気の需給のバランスをとる計画も進む。

◉戸建て住宅向けに太陽光パネルと住宅用蓄電池を無料で設置し、自家消費するモデルを進める計画。電気代は従来の電力会社との契約の同等以下で可能。

第6章

災害にも強い分散型エネルギー 地場産の天然ガス事業

千葉県・睦沢町

分散型エネルギーで大停電から早期復旧

最後に、再エネではありませんが、今後注目すべきモデルを紹介しましょう。それは天然ガスを利用した発電をベースに、住宅と観光を組み合わせた総合開発の事例です。自然資源を活用しながら経済性と防災、便利さのすべてを兼ね備えた、先進的で注目すべきケースです。

2019年9月、台風15号の暴風の影響で2週間以上という大規模な停電に見舞われた千葉県で、停電からわずか6時間後に電気が復旧していた街がありました。

房総半島中部に位置する睦沢町の「むつざわスマートウェルネスタウン」は、温泉施設やイタリアンレストラン、地元の農産物を扱う直売所などを備えた道の駅と、のびやかに広がる芝生の広場、その隣に33戸の町営賃貸住宅が立ち並ぶ完成したばかりの街です。道の駅は同年9月1日にプレオープンしました。

9月9日、台風15号の直撃を受けた千葉県では、午前3時頃、広域にわたって大規模な停電が発生しました。睦沢町全体も大停電にのみ込まれたのですが、このむつざわスマートウェルネスタウンでは、6時間後の午前9時頃に電力が復旧。タウン内の住宅に明かりがともり、翌日には道の駅の温泉施設を無料開放しました。

その時、温泉施設には、まだ停電が続いていた周辺地域の住民約1000人が訪れ、シャワーを利用できたというのです。

なぜ、このような電力の早期復旧ができたのか。秘密は、むつざわスマートウェルネスタウンに設置された数々の仕掛けにありました。

実は道の駅には、天然ガスの自家発電機が設置されていて、屋上には太陽光パネルが備えられています。この睦沢町を含む房総半島周辺の地下には、日本で2番目に埋蔵量が多いとされる天然ガス田が広がっているのです。睦沢町では地元産のこの天然ガスをパイプラインで道の駅につなげ、そこに設置されたガス発電機で自家発電をし、屋根に取り付けられた太陽光発電と合わせて、エネルギーの地産地消を行なっているのです。

ガス発電機は道の駅の裏に立つ建屋の中にありました。

この睦沢町のエネルギー事業の仕掛人の一人、むつざわスマートウェルネスタウン株式会社社長の嶋野崇文さん（51）が建屋のシャッターを開けてこの設備を説明してくれました。

「これが天然ガスを利用した発電機。発電機から出る排熱も活用できるコージェネレーションシステムです。南関東ガス田が広がる房総半島一帯では天然ガスが採れるので、都市ガスのように配管を伸ばして、この地場産の天然ガスをこちらまでつなげて供給しています。ここで発電した電力は、平常時は地域の電力会社から送電線を通して送られてくる電気に加える形で、うまく全体でバランスをとって、エネルギーの最適利用ができるように使用しています。

そして非常時には単独で使います。あの大停電の時には送電線からの電気が途絶えたので、天然ガスで独立運転し、道の駅に電力を供給しました。その電力を使ってお湯を温め、被災した町民の方にシャワーを無料でご利用いただいたのです」

さらに、このむつざわスマートウェルネスタウンでは、道の駅と住宅街の間を自前の配電線、いわゆる「自営線」でつなぎ、すべて地中化しています。この自営線のおかげで、あの大停電時も、天然ガスで発電した電気は無事に住宅街に届けられ、住民は長時間の停電を免れたのです。

「町内全部が停電していたんですが、この天然ガス発電機を起動して、道の駅には電灯がともり、お湯を沸かすことができました。さらに自営線を使って住宅にも電気を供給できて、非常時の威力が発揮されました」

道の駅の裏には、地元の天然ガスを活かしたガス発電機 80kW が 2 基設置されている

嶋野さんは自営線の長所についてこう話しました。

「電力を自前で発電しても、電力会社の送配電線を一回でも通る時には、託送といって電力会社にお金を払って乗せてもらうことになるのですが、こちらは自前の線に直接送れますので、託送料がかかりません。防災的に優れた地下埋設で、非常時にも電気を供給できるというメリットがあります。美観の点もいいですよね」

確かに、むつざわスマートウェルネスタウンでは、電柱や電線が見当たりません。街並みが整然としていて、とてもきれいです。

この街の住民にも停電からの復旧について聞いてみましたが、おおむね好評でした。お子さん連れの女性はこう話してくれました。

「周りの住宅街と比べると電気は早く復旧しました。周囲は信号もついていませんし、お店もみんな停電

33戸の賃貸住宅が立ち並ぶスマートウェルネスタウンの住宅街。自営線が地中に埋められて地上には電線がなく、開放感に包まれている

したなかで、こちらは電気が使えていました。あの時はすごく蒸し暑かったのですが、エアコンを使えたので、本当に助かりましたね。安定して電気が供給されることはとても大切だと感じています」

地産地消の中核は地域のための新電力

このスマートウェルネスタウン設立と並行して進められたのが、地域振興を第一に考えて2016年につくられた、地域のための新電力会社、株式会社CHIBAむつざわエナジーです。睦沢町が資本金900万円の55％以上を出資し、地元商工会、地元金融機関、地元天然ガス会社、エネルギーコンサルタント企業などが参加し、地域一丸となって設立されました。

この地域の新電力会社が、睦沢町のエネルギー地産地消システムの中核を担っているのです。CHIBAむつざわエナジーは、町内や県内の太陽光発電施設などで発電した電気を中心に取り扱い、睦沢町の役場や学校、公共施設、企業、一般家庭に電気を販売しています。もちろん、むつざわスマートウェルネスタウンの天然ガス発電で作られた電気も供給しています。

2018年度末時点の契約電力は3269キロワット、契約件数は約100件。年間500万円ほどになるという利益は、睦沢町に還元され、健康増進事業など地域活性化に利用されています。

新電力設立の狙いを、睦沢町のまちづくり課課長、鈴木政信さん（52）は次のように語りました。

「ＣＨＩＢＡむつざわエナジーは、エネルギーの地産地消で、安心安全な電気を地域に供給しています。持続可能に発展する住みやすい町、分散型で災害に強く、再生可能エネルギーでクリーンなまちづくりを目指しています。大切なことは、町の中で利益が循環することなんですね」

睦沢町では、大幅な人口減少には一定の歯止めがかかりつつあるものの、根本的な人口減少問題の克服に向け、町の人々が安心して生活を営み、子供を産んで育てられる環境をつくり出すことが急務だと認識していました。そして、地元で天然ガスが出るという特性を活かして、地域でエネルギーを生み、資金が地域の中を循環する仕組みを作れないかと考えていたのです。

こうしたなか、ＣＨＩＢＡむつざわエナジーが地元に昔からある天然ガスを利用してエネルギーの地産地消に取り組んだのが、むつざわスマートウェルネスタウンでの天然ガス発電配電事業だったのです。

「町には地元の天然ガスがあるので、これを活用したエネルギーサービスについて、何とかしたいなあという思いがずっとあったんです。地元の天然ガスを電力に変換して活かしたいと。そこで睦沢町と協力企業が合同申請をして、経産省から分散型エネルギー事業の補助金をもらったんです」と鈴木課長は経緯を話しました。

この事業は国の分散型エネルギーシステム構築支援事業の補助金およそ3億円を受けて、2017年に事業化が決まり、整備が進められました。2019年9月にむつざわスマートウェルネスタウンは完成。33戸に町の外からの住民が入居することで、年間840万円、20年間で約1億7000万円の消費効果が町内にもたらされると試算されています。

道の駅にある野菜などの直売所では売り上げが好調で、年間販売目標額2億円のところ、すでに1・5倍の年間3億円となる見込みです。

実際に直売所に出荷している農家の方々からも、「こんなに売れるとは思わなかった。農業にやりがいが出てきた。今後はもっとたくさん作って、もっとたくさん出荷したい」という喜びの声が寄せられているそうです。

また、道の駅で常勤社員6人、非常勤のパート44人が雇用されましたが、このうち半分ほどは、地元の住民が採用されています。

意外な副産物が人気に

この天然ガスによる分散型エネルギー事業では、意外なものも生まれました。それが道の駅の一番人気の施設、「むつざわ温泉つどいの湯」です。鈴木さんはこの温泉が作られた経緯を教えてくれました。

「天然ガスを地下から採る時に水が出るんですが、『かん水』といって温泉成分のヨウ素を含んでいるんです。地元のガス会社が、そのかん水を提供してくれることになり、温泉を作ろうということになったんです」

全国第2位の生産量（4・4億立方メートル）を誇る千葉県の天然ガスは水溶性天然ガスと呼ばれ、約300万年前から40万年前の地層の隙間に閉じ込められている「かん水」という古代の海水に溶け込んでいます（天然ガス鉱業会資料による）。

天然ガスは、地下から汲み上げられた「かん水」と分離され、パイプラインに載せられて都市ガス事業者に供給されています。一方の分離されたかん水はヨウ素を多く含んでいるため、ヨウ素製造原料として工場に送られ製品化され、残りは地下へ還元されるなどしています。

睦沢町では、地元ガス会社の協力を得て、このかん水を利用した温泉施設を、むつざわスマートウェルネスタウンの道の駅に作ることを決めたのです。

かん水は水温が25度ほどですが、温泉として供給するには、加温して40度くらいにする必要があります。その加温に、道の駅のガス発電の排熱を利用し、温泉施設ができたのです。

このヨウ素を多く含んだ天然温泉は、筋肉や関節の疲れ、冷え性などに効果があると謳われ、私が取材した時も多くの利用客で賑わっていました。

　温泉やイタリアンレストラン、地元の野菜直売所も併設した道の駅は好評で、訪れる人も予想以上に伸びているそうです。

「来訪者は月に約4万、5万人で、予定の倍ぐらいですね」と鈴木さんは笑顔を交えながら話してくれました。

　スマートウェルネスタウン社長の嶋野さんもこう話します。

「地産地消を実践している施設だと思っています。地元の天然ガスを使って発電しているので、ガス代はもちろん地元の業者に入ります。発電した電気はＣＨＩＢＡむつざわエナジーを通じて電力小売りしていますが、自治体と共同で設立した電力会社なので、収益は町に再投資して、新しいまちづくりにも活かせます。

　こちらもまた地域にお金が還元できるので、地域内でエネルギーもお金も循環する仕組みができているのです」

「適材適所ですね。ここには天然ガスがありますし、日本全国、場所によっては水力、風力もあるということで、そういったエネルギーが地元で使えるようになれば、災害の時にも自立した町がつくれると思います。分散型にすると、地域のエネルギーのセキュリティ上、災害時にも自立できる。送電のロスもない。地元固有のいろんなエネルギーが使える。資金もエネルギーも循環する地域づくりに役立つ仕組み。こういう仕組みがそれぞれの地域ごとにできればいいと思います」

ただ嶋野さんは課題として、こうした分散型エネルギー事業のネックになるのが、自営線の敷設費用だと話しました。

「こういった事業には初期費用がかかるので、国の支援、補助金などをいただきながら組み立てていくことになります。この仕組みが広がり、将来的にはもっと低コストで整備できるようになればいいと思います。ただし補助金がないと、コスト的には大変です」

経済産業省総合資源エネルギー調査会元委員でエネルギー政策に詳しい、都留文科大学の高橋洋教授はこうした分散型エネルギーについて、私たちの番組で次のように語りました。

「2011年の東日本大震災の時にも計画停電がかなり大規模に起きました。あの時には原発だけでなくて大きな火力発電所も軒並み止まりました。大きな発電所は大量に電気を作ってくれますから非常にいいんですが、大規模災害があると悪影響も非常に大きいことが再認識されたんです。2018年の北海道胆振東部地震の時のブラックアウト（全域停電）も似たような構図でした。

分散型エネルギーは、各地に小さな発電所を設置してネットワークでつなぐ仕組みで、このような分散型への移行が、今、世界的に進んでいます。再生可能エネルギーを中心にコストが非常に下がっているので、そういうシステムへの移行が加速化しているんです。

日本はこれまでどうしても、化石燃料を大量に輸入して使うという状況が続いていたんですけれど、再生可能エネルギーは地域の資源ですから、海外に燃料費を払う必要もないですし、地域に雇用も生まれます。さらに二酸化炭素を出さないというメリットもありますので、エネルギーの地産地消を進めていくことが、総合的に見て非常に大きなメリットがあると期待されています。

睦沢町のように自営線を敷くとかなりコストがかかりますので、全国的に同じことをするのはまだまだ難しい。けれども発電機のコストが下がり、蓄電池もかなりコストが下がってきて、蓄電池代わりの電気自動車が普及していくことも期待されています。太陽光パネルや車の蓄電池を組み合わせる『仕組み』を社会全体で議論していくことが大事だと思います」

配電網を特定の地域で開放へ検討開始

2019年、経産省は、これまで大手電力会社が独占してきた送配電網のうち、住宅や店舗、公共施設などに接続する末端の電線である配電網の運用に免許制度を設け、特定の地域で民間事業者へ開放する新しい仕組みの検討を始めました。

分散型エネルギーシステムは、睦沢町のように国の補助金を利用して取り組んできた例はこれまでにもありましたが、電力の自営線を敷設することによる高額な導入コストや工事の大規模化が普及のネックになっていました。

今回、経済産業省が検討に着手したこの案では、免許を受けた事業者が、特定の配電網を譲渡、貸与される形での利用を想定していて、自営線敷設にかかる高額なコストの低減が見込まれます。仮にこの案が実現すれば、地元で発電した電気を、地元の配電網を通して使えるという、まさに睦沢町のようなエネルギーの地産地消が、特定の地域でより身近に行なえることになります。

従来、沿岸部にある大規模な火力発電所などから長い送電線を通して電気を供給する集中型エネルギーシステムでは、台風15号の時の大停電のように、災害などで途中の送電線が寸断されるなどした際、末端の地域が長期間、停電してしまいました。

この案のような分散型エネルギーが各地で実現されれば、災害時には地域内の配電網を利用して、地域のエネルギーで発電した電気を地域で使い、停電を免れることもできるのです。

経済産業省の検討会では、免許制で参入した事業者が突然撤退した場合に地域の住民への影響はどうなるのか、配電網を維持管理する体制は整えられるのかなど、電力を安定供給するための課題を指摘する意見も出されました。

エネルギーに関する取材を10年間にわたり続けている、専門誌『週刊エネルギーと環境』の編集次長・今西章さんはこう解説します。

「経済産業省では、20年度から22年度までの3年間を予定し、12件程度の先例モデル構築を通じて、地域の再生可能エネルギー発電所の電力を自由に地域内で融通させる地域マイクログリッドの制度化および普及を目指すとしています。経産省は、まずはこの12のモデル地域での実証事業を通じて配電網運用の免許制に必要となる具体的な知見を収集します。この中には、岡山県の真庭バイオマス発電や沖縄県の宮古島の太陽光集中管理事業も含まれています。12の地域では、単なるエネルギー事業にとどまらず、地域の特性に合った電源の活用、災害時の復元力強化など、地域の課題解決につながる計画の策定を目指しています。

さらに、配電事業の開放はエネルギーの地産地消を実現するだけにとどまりません。住民の電気料金に含まれている電線利用料＝託送料を下げられる可能性が出てきます。配電網が開放されれば地元で発電した電気を、地元で運営される配電網を通して域内の住民に使ってもらえるようになります。経産省は託送料金制度の見直し方針として、特定地域内の送配電線を使いリース料など費用を払った上で、参入する事業者が健全な経営ができるのであれば、託送料金を下げてもよいのではないか、という案を示しています。配電網が開放されれば、配電事業者が独自に託送料金を設定できる可能性があるのです。

そして再生エネ発電所が豊富な地方では、化石燃料を輸入して発電した電気よりも地元の再エネの電気の方が発電単価が安くできるようになれば、当然、大手電力会社より電気料金も下げられる可能性があります。

地方にとって大きなチャンスなのですが、それだけ経営リスクを背負うことになります。配電事業も踏まえた地域内の電力事業がうまく回らなければ、その地域の住民が割高な電気料金を背負わされるリスクも出てきます。だからこそ参入した配電事業者が大手電力会社に代わって、従来以上にうまく配電運用をできるかが大きなポイントとなります。

配電網の開放はリスクを伴いますが、それでも大きなチャレンジだと評価できます。配電事業の免許制は、再生可能エネルギーの大量導入とそれによる長期的に見た電気料金の低減につながっていくと期待しています」

日本でも分散型エネルギーに関する議論が本格的に始まりました。この分散型こそが、再エネが真の実力を発揮できる「新しい社会」の基礎となるのです。

この章のまとめ

◉2019年の台風15号で大停電のなか、6時間で電気が復旧したマイクログリッド・スマートタウン。

◉道の駅に、地元の天然ガスを利用したガス発電機を設置。エネルギーの自給自足を目指す。

◉発電した電気は、地下に敷かれた自営線を通して住宅街へ。災害への復元力の高さを実証した。

◉町が目指すのはエネルギーの地産地消。町が半分以上を出資し、新電力を設立。天然ガス発電の電気を販売し、利益は地元に還元。

◉天然ガス発電の排熱で温泉を沸かし、道の駅の人気スポットが誕生。道の駅の利用者は予定の倍を記録。

◉分散型エネルギーは大規模災害での停電対策に有効。

◉今後、特定の地域で、免許制による配電網の民間事業者への開放に向けた検討が進む。

第7章

再エネ大国へ、識者からの提言

【提言①】

日本は再エネで地方から変わる

藻谷浩介（地域エコノミスト）

2013年に出版された『里山資本主義』を手に取った読者も多いと思います。私もその一人でした。この本を読んで私は、岡山県真庭市をはじめ日本の里山が豊かな暮らしを生む実力を秘めていることを確信し、その後の取材を進める動機につながりました。『里山資本主義』から7年、藻谷浩介さんが2020年以降の日本社会を分析しました。

1964年、山口県生まれ。日本総合研究所主席研究員。平成合併前3200市町村のすべて、海外109か国を私費で訪問し、地域特性を多面的に把握。2000年頃より、地域振興や人口成熟問題に関し精力的に研究・著作・講演を行なう。2012年より現職。著書に『デフレの正体』『里山資本主義』（共に角川 One テーマ 21）、『世界まちかど地政学 NEXT』（文藝春秋）など。

山口　藻谷さんの共著『里山資本主義』は真庭市の挑戦を世間に広めましたが、今、同様の動きが各地に広がっています。地元にある資源を活かして、自然エネルギーで発電して、そのお金が地元に回るよう循環させる。そういう社会が各地に出始めているわけですが、この動きについてはどうご覧になりますか。

藻谷　本来当たり前のことが、ようやく当たり前に進み始めているのです。電力と農業を比べると、よくわかるでしょう。

人間も生き物ですので、ほぼすべての生き物と同じく、太陽エネルギーに頼って生きています。例えば食べ物は、今降り注いでいる太陽エネルギーを植物が光合成で受け止めたから存在するのです。光合成を効率的に行なえるようにしたのが農業で、太陽で育った植物や、その植物を食べた動物を、人間が食べているわけです。

それに対して動力や電力は、化石燃料を燃やして得ることが多いですね。化石燃料は、何億年も前に降った太陽エネルギーの濃縮パックです。当時繁栄した植物が化学変化したもので、カロリー密度が高いのですが、日本にはないので海外から買ってこなくてはならない。大企業が大規模に供給することで、値段を下げています。

ところで農業の場合、個人で菜園を作って、頭の上から降っている太陽エネルギーを利用するのは自由です。プロ農家の作ったものをお店で買ってきてもいいのですが、何かを家で作ってもいいわけです。ですが電力はどうでしょう。つい最近まで、大手から買う以外に道がありませんでした。ソーラー発電などがようやく普及し始めたわけですが、頭上に太陽がある以上、これは当然なのです。

発電にも、大型店だけでなく「直売所」や「自給」があっていい

藻谷　日本のこれまでの電力供給は、個人の自給を念頭に置いていない点で、まるで中国における農業のようでした。

中国は社会主義で土地を国有化しているため、畑は全部プロが作っていて、都市住民には個人で農業する権利がありません。

ですが日本では、農地は古来、民有地です。中国の唐の真似をした公地公民制はあっという間に失敗しました。江戸時代の大名も年貢徴収権を持っていただけで、田畑は自作農のものでしたし、下級武士も庭先で耕作していました。

今の時代も、都市住民でも勝手に農業ができます。ベランダでもできるし、郊外に畑を借りてもできるし、ましてや地方であれば、庭先や借りた畑でやってる人、いっぱいいますよね。

山口　いっぱいいます。

藻谷　それに対して電気は、一部でも自給している人をあまり見かけません。電力会社も、戦前には津々浦々に草の根のものがあったのですが、全部統合されて地域独占になりました。

ですが電力の世界でも、農業と同じことが起きていいのではないでしょうか。農業であれば、プロが作ったものをスーパーで売っていて、そこで買うのもよし。だけど、家で自分で作っていてもいいでしょう。さらにその中間に、そこそこのプロが、大規模にはやらずに小規模に作って直売所で売っている新鮮なものを、近所の人が買うというのもあります。3つ目が一番質が高いかもしれません。

山口　なるほど。

藻谷　というわけで、農産物を手に入れる方法に3種類あるように、電力を手に入れる方法にも3つあるべきでしょう。

今までは地域独占の大手電力会社と契約するしかなかったのですが、一部もしくは全部を自給したっていいわけですし、最近増えてきた再生可能エネルギーを発電する小さな電力会社から買ってもいい。最後のやり方が、農業でいえば直売所にあたるわけです。

ところで、農作物や電力を一部でも自給する人が増えると、その分お金が動かないのでGDPは下がります。逆にGDPを増やすには、自給農業や自家発電を禁止して全部お金で買わせた方がいい。でも本来、経済指標の一つにすぎないGDPなんて減ってもいいので、農産物や電力を自給する人が増えた方が、社会の安心安全は高まります。

山口　豊かさの基準は、お金だけではないですものね。

藻谷　本当に豊かな社会は、無駄なことにはお金をかけない、エコな社会です。農産物も電気も、集中的に大量生産して、長距離を運んで売ろうとすると、どうしてもロスを生みます。電力の場合には、使われない夜間電力の無駄もあれば、送電ロスもあります。

地域社会や家庭で電力を一部でも自給することが当たり前になれば、その分だけ送電ロスは減りますし、自分で蓄電池を備えて賢く無駄を減らす利用者も増えるでしょう。

何でも大規模システムで集中管理すれば効率が上がるわけではありません。電力の世界にも、個人が勝手に生産し流通できる自由を再導入することで、世の中はもっと面白くなります。

土地の特性を活かせばエネルギー自給率は上がる

山口　それぞれの地域には本来、もっと豊かな自然資源があったわけですね。

藻谷　日本の場合、太陽光線と雨はどこにでも降っていますし、傾斜地では流水のエネルギーも使えます。風の強い場所もあるし、潮流の速い海峡もある。

山口　そうですよね。以前は水車があって、そこで電気を得て地域の電気をまかなっていた集落もあります。それに温泉があれば地熱もあるわけで、蒸し物を昔は作っていたりとか。

藻谷　流水も風も潮流も、元をただせば太陽エネルギー由来ですが、地熱はそれとは別に地球ができた当時の天体の衝突でできた熱エネルギーで、４つの大陸プレートの境界にある日本では豊富です。

太陽光は東京でも強いわけです。「オフィスビルの屋根や壁が陽に照らされて室内が暑くなるので、遠くの発電所からの電気でガンガン冷やす」って何かおかしい。屋上や壁面にソーラーパネルでも付けて、その電気で冷やすとかできないのでしょうか。

山口　そもそもはその地域に豊かな資源があって、人々がそこに、資源を使って養われていて、自然の中で豊かに暮らしていた時代があったと思うんです。

ですが高度成長期の大規模工業化の流れのなかで、自然エネルギーをうまく使っていた農山村から、若者がどんどん工場地帯へと出ていきました。当時の村に残された人たちがもう80代を越えて亡くなり始めた結果、「限界集落」「地方消滅」というようなことが言われだしています。

そうやって追いこまれた状況のなか、私がこれまで取材した地域では、本当に消滅の危機に直面して、最後にじゃあどうするんだという時に、「再エネがあるじゃないか」となった。それで、それぞれの地域の地熱や水力に懸けてやってみたら、意外にお金がうまく回り始めた。

藻谷　そもそもエネルギー代はばかになりません。地域が外に対して支払うお金の、数％ではなく何割かですからね。それを節約すれば、大きな効果があります。

山口　エネルギーへの視点とか、エネルギーへの関わり方をそれぞれが考え始めると、地域も変わっていくのではないですか。

藻谷　そもそもエネルギーは、生物である人間の生存の基本条件です。人間以外の哺乳類は毛皮を持っているので、食べ物があれば生きていけますが、人間には服と住まいも必要です。衣食住ですね。昔は衣の確保が一番大変だったんですけど、化石燃料を使った大量生産技術の発展で衣料品はすっかり安くなりました。どんな途上国の貧困地区でも、食べ物はなくともみんな、普通にTシャツを着ています。ですが服だけで住まいがないと、酷寒や酷暑、雨雪には耐えられない。住まいも冷暖房しないと、多くの季節にはつらい。

日本は雨が多く夏暖かいので、木がよく生えます。日本人は江戸時代まで、ひたすら草木を燃やしてエネルギー源にしてきました。列島に降る太陽エネルギーを、草木経由で利用していたのです。ですが明治になって、化石燃料の方がずっと効率がいいということになった。しかし戦後に経済が発展して円高になり、国産の石炭は高価格すぎて使えなくなった。そしていつの間にか化石燃料を全量輸入し始め、相当のお金を外国に持っていかれています。

薪を集めて使っている農山村の老人を「遅れた人」みたいに感じるのは、「輸入化石燃料依存症」の症状の一つです。昔からある太陽エネルギーを使っちゃいけないみたいな風潮は変ですよね。

山口　エネルギーに関しては、あるものを使ってなかった?

藻谷　そう、エネルギーに関しては日本中が自給を忘れてしまった。農業に関しては自給はなくならなかった。田畑を作る人が居続けた。ところがエネルギーに関してはお金がすべてになってしまった。「全部を大企業から買うのが当たり前」という世界です。

山口　地域の方もそこにエネルギーがあるのを半ば忘れていました。

藻谷　忘れている。あるいは覚えていても、地元のエネルギーを使うのはダサいことであると教えられてきた。農産物に関しても、「いまどき自分の家で作ってるなんてダサい、よそから買ってきた方がかっこいい」っていう風潮が、昭和40年代にスーパーとかができ始めた頃にはあったんです。

昭和の時代には各家にミシンがあって、服の穴なんかを繕ってた。手編みしている人ももっと多かった。そういうのもどんどん減って、結局は空いた時間にスマホばかり見ている。

そうなると、人口が密集して完全に化石燃料依存の東京に住んでいても、何の不自由も感じないどころか、自分たちの方が進んでいるのだと、何の根拠もない思い上がりを抱くようになるのです。

田舎に住む方が、やりたいことができる

山口　大量生産、大量消費の時代というのは画一化されていました。東京の暮らしがすべてで、それに合わせようとすると地方は魅力が薄まってしまうわけですけれども、でも今回取材を通してわかったんですが、例えば岡山の西粟倉村では1500人の村に180人も20代、30代が移住して、新しい起業が34社、計15億円の年商を上げています。

藻谷　都会に住んで田舎へ遊びに行くのがいいか。田舎に住んで都会へ遊びに行くのがいいか。今の時代は、都会には住まずにたまに遊びに行く方が、はるかに快適に暮らせます。

西粟倉村だと、行きたければ大阪まで1時間半くらいで行けます。特急も高速道路もあります。東京へは鳥取空港や岡山空港から行ける。家賃や食費が安い分、たまに遊びに行くお金は出せます。

都会の方がいいという理由はなにか。昔はマスコミや出版業が集中していて、情報発信力があるといわれたものですが、ネット時代になってみると、ブロガーやYouTuberはどこに住んでいてもできます。「東京でなければ情報がない」なんてことは全くありません。第一、東京は無駄に大きすぎて、普通に住んでいる限り、九州や沖縄などに比べてはるかに、海外の情報に触れる機会が少ないのです。

山口　田舎に移住した若い子たちに聞くと、もちろんストレスがないって言うんですけど、やっぱり一番大きいのは、私たちの世代がとらわれていた、「こうあるべきだ」みたいな概念に彼らはもうとらわれていなくて、どこにいようが関係ない。自分のやりたいことをやる人生を歩みたいんだって。西粟倉村にさえこだわったわけじゃないんですね。

藻谷　「こうあるべきだ」にとらわれる人は、本当にやりたいことを見つけていない人です。「自分はこれがしたい」という軸を持つ人は、自分の自己評価はあっても、他人の偏見は気にしません。地方に住んでも、当たり前ですが恥じることなど何もありません。ようやく日本にも、自分が主語でものを考える人が出てきたということでしょう。

山口　あまり人目を気にしない、やりたいことをやりたいっていう人生を歩む世代なんですよね。

藻谷　一定以上の思考力のある人が田舎で育てば、「ここだけが世界ではない」ということを常に意識し、「自分はどうするか」を考えるようになります。逆に東京で育った人の多くが、東京だけが世界になってしまって、まるで袋小路に行き詰まったように、地方にも海外にも出ていけない。思考力があれば、その欺瞞に気付きます。

山口　地方移住者のなかから、新しい社会像が生まれ始めているということでしょうか。

藻谷　『里山資本主義』の中間総括に書いたんですけど、褒められるとかお金があるとかではなく、他人では取って代われない人生、つまりかけがえのない人生を目指す人が増え始めているのです。「自分がいなかったら、仕事自体が発生していません」というようなことをできないものでしょうか。他人との優劣比較はどうでもいいので、代替性がない、かけがえのない自分になれないものでしょうか。そう思った時に、なにも東京で気張ってやってないで、田舎の方が自由にできるねって気が付くのでしょう。

山口　そうですね。時代がそういう方向に動き始めてるんですね。

藻谷　都会で、本当は誰でもできる仕事に無駄に優劣をつけて競うのが当たり前。そんなご時世のなかで、ようやく2％ぐらいの人が気付きだしたのではないでしょうか。この2％が2割までいけば、世の中は大きく変わります。いわゆる「2：6：2の法則」ですね。中間の6割は、2割が動けば付いていきます。残りの2割は何があっても動かない。ですが動かなくてもいいんです。

エネルギーから経済を考えるとはどういうことなのか

「エネルギーから経済を考える会議」への藻谷氏の寄稿より

化石燃料の利用の普及は、地面を使わずとも膨大なカロリーを享受することを可能にした。

化石燃料とは、何億年も前に地球に降り注いでいた太陽エネルギーが、当時の植物の中に蓄積された末に、地殻変動の中で変成し濃縮されたもので、エネルギー密度が格段に高い。その利用を始めたことで、人口は激増することとなった。日本列島で見れば、①狩猟採集期の人口は30万人程度、②農業期の頂点だった江戸時代後半には3000万人強、そして③の化石燃料利用が頂点を極めた平成末期は1億3000万人弱である。まさにシャーレのバクテリアの上に栄養剤を落としたような効果が、この日本という閉じた空間で起きたわけだ。地球全体を見ても同じことである。

化石燃料のエネルギーこそは、産業革命以降今日に至るまで人類を激増させてきた最大の動因である。まず、化石燃料が草木や木炭に代わり燃料として用いられることで、高温での金属加工や無数の化学物質合成が可能となった。また人力や動物の力に代わり動力として用いられることで、人類が移動や開墾・灌漑や土木・建設や生産・運搬に使える物理力は激増した。さらには現生生物由来の油（鯨油や菜種油など）に代わり（石油やガソリンが）灯火や温熱・冷熱の供給源となることで、人類が活動できる時間や空間が大きく増えた。加えて筆写物、印刷物、磁気記録、光学記録と記録媒体が発達し、情報の蓄積と再利用が加速度的に容易になって、人類全体の共有する知識量が激増した。これらが相まって、食糧生産も保存も格段に容易になり、さらには栄養状態の改善と医療の発達で寿命も延び、地球上の人口は空前のレベルになった。

ところでこのような化石燃料利用の進展は、21世紀の地球上に、非常に大きな副作用を生んでいる。「AIが人間の仕事を奪う」といった話ではない。そもそもAIの前にロボットが、その前には動力機械が、多くの人間の仕事を奪ってきた。いや正確には、人間の仕事を引き受け、我々を楽にしてきた。そうではなく問題は、化石燃料利用の限界が、4つの面で見えていることである。

第一が、地下に埋まっていた太古の二酸化炭素を掘り出して空気中に放出してしまうことによる、気候変動など地球環境問題の発生だ。しかしこれについては周知のことなので詳述しない。

第二に、化石燃料自体が有限であるという、古くて新しい問題がある。すぐに枯渇とまではいかないにしても、価格は長期的に上昇していく。日本についていえば、26年前には年間5兆円未満だった化石燃料の購入代金が、6年前（2014年）には27・6兆円まで高騰した。2016年は原油価格の下落で12兆円にまで下がったが、2018年には再び19兆円強へと増えている。世界人口の増加と、今後のインドやアフリカのさらなる化石燃料依存度上昇を考えれば、これがいずれまた下がっていくというシナリオは見込めない。消費税と違って国内に循環せず、産油国に持ち出されたままになってしまう化石燃料代の、年間数兆円単位での増加は、増税よりもはるかに確実に国内経済の内部循環を痛めている。

山口　藻谷さんが書かれたレポート『エネルギーから経済を考えるとはどういうことなのか』を読ませていただいて大変わかりやすかったです。日本の今のエネルギー構造というのは相変わらず化石燃料に9割近くを依存していますが、この実態についてはどう感じておられますか。

藻谷　化石燃料にお金がかかっているということは、その中に書いた通りですが、それ以外にもう一つよくないことがあります。化石燃料は有限なので、先進国ではまれに見るほど再生可能エネルギーの潜在力の高い日本が、それを金に任せて買ってきて使うのは、他国や後世の人類に対して失礼なんですよね。

農業についても同じことが言えます。大学の経済学の授業で「比較優位の原則」を教える際に、今でも「日本はものづくりが得意だから、ものづくりばっかりやっていれば農業はしなくていい」なんて言っているらしいですね。しかし日本は、降水と日照量が多くて、土地が肥えていて、そもそも非常に農業に向いているのです。

山口　向いてますよね、そうです。

藻谷　地球で生産可能な食糧の量には限界がある中で、農業適地なのに農業をやらないということ自体が世界に、地球に失礼です。比較優位には、文化的な向き不向き以外にも、土地の向き不向きというのがあるんです。日本は本来農業をするべき土地なんですよ。ものづくりの優位といったって、いつまで続くかわからない。でも土地の優位は、何千年単位では変わりません。

同じように、日本は自然エネルギー量が非常に多い国なのに、使える自然エネルギーまで使わずに化石燃料輸入を増やしているというのは、全く本末転倒です。

化石燃料代20兆円の重し

山口　いまだに日本はエネルギー自給率が非常に低くて11%ほどしかありませんし、燃料代として20兆円近い額を海外に支払っています。

藻谷　２０１４年に27兆円までいった化石燃料輸入は、シェール石油採掘本格化のおかげで２０１６年には12兆円まで急減しました。ですがそうなれば産油国は生産調整をして価格を上げてくるわけです。２０１８年には再び19兆円と、２年で７兆円も輸入が増えました。

省エネの進展もあって、輸入額ではなく輸入量は、年々減る傾向にあります。特に原油輸入量は、2000年の3分の2になりました。でもその2000年当時の化石燃料輸入額は8兆円少々しかなかったんです。

山口　つまり海外に支払う代金が、10兆円以上も増えたわけですね。

藻谷　最近2年間だけ見ても7兆円の負担増ですからね。これは2019年10月の消費税増税分と、同水準の金額なのです。

山口　ものすごく大きなインパクトを持つテーマですね。

藻谷　驚異的なのは、それだけ輸入が増えているのに、国内の物価が全く上がっていないことです。つまりその分は、供給側のあらゆる事業者や個人が、我慢してかぶっているのです。「コストアップを合理化で相殺」というと聞こえはいいのですが、その分、国内で回るお金が少なくなったわけですね。

江戸時代に財政の悪化した藩が、年貢を増やしたら、百姓側にゆとりがなくなって経済がさらに沈滞した、というのと似ています。

山口　江戸時代だと江戸にお金が流れたわけですが、支払った化石燃料代は海外に行ってしまって戻ってこない。

藻谷　その通りです。なのに、本当に面白いことに、誰もそのことを問題だと口にしないのです。

山口　不思議ですね。

藻谷 6兆円の消費税の負担増を攻撃している人も、化石燃料代の負担増については何とも思っていないようです。ですが借金を増やすばかりの日本政府の税収は、全部使われて国内に回るわけですから、実は経済を痛めません。これは経済学の基本の基本です。他方で、海外に行ったっきりの燃料代は、そのまま経済を冷やします。

山口 そうですね。

藻谷 「だから原発が必要だ」ともっともらしく言う人もいます。ですがウランは化石燃料以上に希少な輸入資源で、値段も高いのです。しかも使用済み核燃料や廃炉になった原発などの管理に、いつまでもお金がかかる。再生可能エネルギーの方がはるかに安いというのは、世界の常識・日本の非常識になっています。

ところが面白いもので、この話をすると必ず「そんなこと言うけど、100%自給は無理だ！」と反論する人がいるんですよ。

山口 100%自給できなければだめだ、という発想なんですね。

藻谷 別に100じゃなくても、1でも0よりはいいのです。『里山資本主義』に、「1%でいい、非常時だけのバックアップでもいい」と書いた通りです。

山口 サブシステムとして、ということですよね。

藻谷 原発だって、化石燃料のサブシステムだったのです。福島事故の前の最盛期でも、日本のエネルギー需要の1割を満たしていた程度でした。だからこそ原発が止まった分は、LEDを増やすとかの省エネでカバーできてしまったわけですが、その程度の規模で、しかもお金のかかる原発に期待して、世界の主流になろうとしている再生可能エネルギーの今に無関心な人が多いのは謎です。

山間過疎地には稼ぐ余力がある

山口　環境省の調べでは、日本は再エネの潜在力は、需要の1・8倍あるといいます。特に地方に多いんですよね？

藻谷　そうです。

山口　地方は供給力が多い、でも需要が少ない。

藻谷　地方都市では、まだ需要が供給を上回るでしょう。ですが山間過疎地の場合には、供給力の方が需要を上回ります。

山口　そうすると、都会の電気代を海外にばかり支払うのではなく、山間過疎地からの自然エネルギーに支払うようにすれば、国内の経済循環がよくなりますよね。

藻谷　全くその通りです。ドバイに超高層ビルのブルジュ・ハリファを造るお金を供給している暇があったら、山間過疎地に山林を保全するお金を供給した方がいいわけです。都会は山間過疎地の下流にある低地でして、上流の森が手入れ不足で傷んでいることが、温暖化と並んで近年増えている洪水の原因なのですから。

ところが日本の都会人には、「田舎にはこれ以上お金をかけず、切り捨てた方が日本のためだ」と信じ込んでいる人がいます。経済学上は全く間違った考えですよ。同じ国内であれば、地方が栄えるほど都会にお金が戻ってきます。田舎に行った分だけ都会が損をするという構造ではありません。それがうまくできたからこそ、戦後日本は先進国になれたのです。

山間過疎地に眠る自然エネルギーを買ってやれば、そのお金は都会にも回って戻ってきます。そうして経済循環を拡大すれば、子育て支援などにももっとお金が回せます。

山口　なるほど。

藻谷「田舎など要らない、都会がすべてだ」という発想は、室町時代中期の応仁の乱の頃の、京都に引きこもっていた公家衆とよく似ていますね。歴史は同じパターンを繰り返すんです。

応仁の乱を経て、日本中の田舎が、「都に年貢を送るのはばかばかしい」と言い始めました。それで京都の経済基盤は崩壊し、日本は地方地方で経済基盤を蓄えた戦国大名の時代になったわけです。

ですが京都の公家から地方の大名に転身できたのは、京を捨てて高知県の中村に移った土佐一条氏だけでした。これも長曾我部にやられてしまうわけですが、とにかく室町時代半ばまであんなに威張っていた公家は、戦国時代には権力者になれなかったんですね。

国際化も同じで、地方の大名が南蛮貿易で力を蓄えたのに対し、京都の公家は伝統にこもって西洋社会に無関心でした。

驚くほど外国に無関心で、内輪の論理で動いているのは、東京の多くの大企業や政府組織も同じです。彼らこそ、昔の京都の公家の現代版ではないでしょうか。

山口　なるほど、歴史が繰り返すなかで、時代は変わる時は変わるということですね。

藻谷　変わる時は変わります。応仁の乱の頃の京都には、貨幣経済を動かす市場はありましたが、食料もエネルギーも地方から持ってこなければ存在していませんでした。今の日本で地方が見直されるのも同じで、食料とエネルギーを持っているのは地方だからです。

山口　そうなんですよ。持ってるんですよ。

藻谷　もちろん太陽光線は、都会にも面積当たり均等に降り注いでいます。ですが都会は余りに人口が集中しているので、1人当たりのエネルギー量が圧倒的に小さくなってしまうんです。しかも建物が多過ぎて空き地や農林地がない。つまり太陽エネルギーの受け皿に乏しい訳ですね。人口が少なく、都市開発できない山林や農地が多く残されている山間過疎地にこそ、一人当たりの化石燃料由来のエネルギー代を大きく節約する余地、場合によっては余った分を都会に売って稼ぐ余地が残っているわけです。

『エネルギーから経済を考えるとはどういうことなのか』より

化石燃料利用の限界の第三は、エネルギー供給が潤沢になりすぎたゆえの人口爆発だ。そして、人口爆発とは似て非なる第四の問題が、巨大都市の登場と増殖である。農業期までは、人間は単位面積あたりの日射量と降水量というエネルギー上の制約の下にあり、水と食料と燃料を高度に消費する都市集積の形成には限界があった。18世紀に世界最大の都会だった江戸の人口は100万人。その生活を支えるだけの食料と燃料を周辺部から人力・牛馬力・風力で輸送できていたこと自体が驚異的なのだが、化石燃料利用が頂点を極めた21世紀には、東京首都圏の人口は3600万人を超え、引き続き世界最大の都市であり続けている。

なぜそこまで大きくなる必要があったのか、諸要因が指摘可能なのだが、根底に「エネルギー利用効率の最大化」という原理が働いていたことは忘れられがちだ。単位面積あたりに今降り注ぐ太陽エネルギーの量、という農業期までの絶対的制約要因から解き放たれた以上、能う限り土地の利用密度を高くすることで、そのすべてを輸入に頼る化石燃料の利用効率を極限まで高めるという方向性が生まれる。東京首都圏（および関西圏、中京圏など）は、その結果できたマスターピースだ。

そのようにして成立した東京以下の日本の都会は、過密による汚染やスラム形成や交通マヒや水不足といった、途上国の大都市が抱え込んでいる問題を、世界最高水準のパフォーマンスで解決ないし緩和してきた。しかし、人口過密に伴うコストアップやゆとり喪失が根本原因である少子化や、集中に不可避に伴う天災リスク（＋戦争リスク）は、特に東京では原理的に解決できていない。

それに加えて現代の巨大都市は、狩猟採集や農業という旧来の原理を100%否定した（享受したくても享受できない）過密空間である。そこに暮らす者のほとんどは、食料や燃料に関し自給や物々交換の道を基本的に断たれ、お金を稼いで使うことに生活の100%を依存しているのだが、高齢者が激増するなかで、そういうライフスタイルしか選べない場所に人口を集中させてきたこと自体が、新たな社会不安の要因となってしまった。そもそもなぜ、もっと分散して暮らしていけなかったのか、都市生活者であっても狩猟採集や農業も楽しめる程度の、ゆとりある都市空間をなぜ形成してこなかったのかということが、今の日本では根源的に問われつつある。

東京の一極集中は続かない

藻谷　東京都の可住地人口密度は1平方キロあたり1万人という水準ですが、これはもうアウト・オブ・リミットなんです。埼玉なら3000人以下、群馬だと1000人以下（『社会生活統計指標』総務省統計局）で、そのくらいだったらまだ楽に生きていけるのですが、なぜか群馬や埼玉はだめだと信じて東京に来るんですよ。人間は、事実を見極めずに人の噂に従う動物なのです。

山口　東京の一極集中がいつまで続くかはわからない。それに、現状を変えるだけの素地は地方にはあるわけですね。

藻谷　変える前に、もう自壊しているのです。応仁の乱の時と同じで、自分で続かなくなってしまいます。

どうやって、続かなくなるか。自然条件だけでも限界です。そもそも東京は、3つの大陸プレートの交点の真横にある世界にも数少ない大都市で、大地震や火山灰降下を繰り返し経験してきました。そんな場所にありとあらゆる経済資源、人材資源を集中して日本は大丈夫なのかと言えば、もちろん全くだめなのです。

しかも東京都心の半分は、江戸時代以前には海の底だった低地で、大堤防と、電気で動く揚水ポンプで水から守っているのです。それなのに温暖化と上流の山林の荒廃で、年々レベルアップした豪雨と河川増水が起きている。

なんでそんなところに住まなければいけないかと言っても、本当のところ合理的な理由はありません。流れでそうなっているだけです。応仁の乱までの京都の公家が、流れで年貢を受け取れていたように、東京も流れで続いてきただけのことなのです。

山口　そういうなかで、歪みが、今表れてきているんじゃないかと思っているのですが。

藻谷　表れてますよ。一番深刻なのは、東京の少子化です。大人2人に子供が1人ちょっとしか生まれない場所なので、若者を地方から集めれば集めるほど、日本全体の子供が減ってしまう。

実際の数字はすさまじいものです。首都圏一都三県の住民票で、2014年の正月から2019年の正月の5年間の変化を見てみましょう。この5年間に65歳を超えた首都圏民が229万人いたのに対して、15歳を超えた首都圏民は146万人しかいませんでした。ざっと8対5ですね。もし東京に歪みがないのなら同じ数だけ子孫が残るはずで、15歳を超える若者も229万人いなくてはおかしいのです。いや、過去50年間には何百万人も若い世代が流れ込んでいるのですから、15歳を超える若者が400万~500万人いても不思議はない。なぜそうならなかったのかと言えば、流れ込んだ若者が同数の子孫を残せる環境ではなかったからです。子孫が50年で半分近くまで減ってしまうような場所に、今日も若者が流れ込み続けている。

海の中に雪を投げ込むようなもので、日本の人口はどんどん減っていくばかりです。（総務省「住民基本台帳年齢階級別人口（都道府県別）（統計）」）

生活保護率は田舎ではなく都会で高い

藻谷　「一人2000万円貯めていなくては老後にお金が足りなくなる」という話がありましたね。でもその計算は都会暮らしが前提です。地方に住んでいるお年寄りは、お金に困れば畑をします。

農地を持っていなくても、いくらでも借りられる。そうすると食費が浮くし、腕前がよければ直売所で売って儲けられる。健康にもいい。自分ではやらない場合でも、近所や友達の誰かは畑をやっていて、やると採れすぎるのが常なので、いろいろ貰えます。だからそんなに生活には困らない。

燃料代に関しても、地方の多くはタダで薪を取ってこられる環境です。薪ストーブや薪ボイラーの性能も、年々向上しています。

山口　そういうことですね。

藻谷　2015年とちょっと古いのですが、生活保護を受けている人が住民の何パーセントか、都道府県別の数字があります。全国平均は1・7％で、60人に1人です。ところが都道府県別にはかなり違う。（『被保護者調査（月次調査）』厚生労働省 社会・援護局）

東京都、埼玉県、群馬県、新潟県と下っていったとすると、どのように変わるでしょう。新潟県の数字はどうでしょうか。

山口　すごく低い感じはしますね。

藻谷　0・6％なんですよ。全国平均の3分の1しかない。高齢者でも自給農業ができるからです。群馬県も0・6％です。それが埼玉県になると1・3％に上がります。では東京都はどうか。

実は東京都と大阪府の住民の生活保護受給率は同じでして、2・2％なんです。生活に困っている人が、世の噂とは逆に、特に高齢者に増えているのです。農業という自給手段がありませんから。

その証拠に、農地のほとんどない都心23区となると、生活保護率は、2・4％まで上がります。新潟県の4倍、埼玉県の2倍です。田中角栄が生きていたら、なんて言うでしょうか。

山口　興味深いデータですね。

藻谷　本当は東京に住んでいても、田舎に畑をやっている知り合いがいるだけで、暮らしやすさは違います。それで足りなければ埼玉や千葉あたりに畑を借りてもいいし、もっと都心近くにも市民農園はあります。半分田舎に住んで、都会と田舎で二本足にする方が有利だと気付く人が増えれば、東京もがぜん面白くなるのですが。

なぜ日本人は変われないのか

山口　2019年、台風があれだけ続いたりとか、2018年、西日本豪雨があったりとか、これだけ災害が相次いでくると、多くの人が「これはまずいな」と思い始めてると思うんです。だとすれば世の中が変わり始めるのも私は近いんじゃないかなと思うんですが、いかがですか。

藻谷　日本には「だめだと思いながらも変わらずに我慢する」という伝統があるので、なかなかうまくいきません。昭和20年の春あたりには、日本中の都市に爆弾が落ちるようになって、敗色濃厚であることは明らかだったのに、結局、沖縄県民の4人に1人が亡くなって、原爆が2回落ちるまでやめなかった。

山口　いつも遅いんですよね、変わるのが。

藻谷　イタリアは、1943年にさっさと戦争をやめたんですが、日本は原爆が落ちる1945年までやめられませんでした。それでも本土決戦は回避しました。

ドイツはベルリン陥落まで抵抗したので、実は日本よりはるかに多くの死者を出しています。しかもその後45年にわたって東西分割されてしまった。その反省があるからこそ今、自然エネルギーに思い切って舵を切れるのです。「やめ時を間違えると死ぬぞ」という国民的体験をしたわけです。

山口　防衛本能が働いた。

藻谷　ところが今の日本には、自ら変えられない人、「なるようになって、行くところまで行かないと変わらない」という人が多いような感じですよね。「なるようになって、行くところまで行かないとどうせだめだよ」ってみんなが言うのです。しかし東京集中を放置するリスクは、そういう人が考えているよりも大きいですよね。

山口　本当はそうなんですよね。一番被害を受けそうなところに、人間が集まっている。

藻谷　繰り返しですが、東京には断層性の直下型地震、相模トラフの動く関東地震、富士山噴火、浅間山噴火、集中豪雨とリスク要因が5つぐらいあります。そこでどんどん高齢化が進んでいる。

山口　対応が遅れていますよね。

藻谷　先ほど、首都圏一都三県の住民票で、2014年の正月から2019年の正月の5年間の変化という話をしましたが、同じ数字で見ると、首都圏一都三県での人口増加は、すべて75歳以上の増加なのです。

山口　どういう意味ですか。

藻谷　一都三県の5年間の人口増加は78万人。これを年齢別に見ると、74歳以下は11万人の減少で、75歳以上だけが89万人も増えているのです。東京には若い人が流れ込んでいるのに？と思いがちですが、高度成長期に流れ込んで今75歳を超えた人の方がずっと多いために、彼らの加齢分を補えていません。

直感的によくわからないかもしれませんが、とにかく首都圏ではもう、後期高齢者しか増えていないのです。だからこそ人手不足が深刻で、災害時の対応力や復旧力が足りなくなっているのですね。

化石燃料（＋原子力）万能の時代には、人間は密集できるだけ密集して、集中生産されるエネルギーの分け前に効率的に預かっておればよかった。しかしこれからは、再生可能エネルギーと化石燃料をハイブリッドで使う生活様式が、普及していくのではないかと筆者は考えている。人口密度の低い田舎で、エネルギーを〝部分自給〟する方が、経済上も有利であることが知られていくと思うのだ。都会の高層マンションに住んで農産物をすべて金銭で購入する生活よりも、家の横に畑が一枚あって、食料のなかの何がしかを自給している方が、

『エネルギーから経済を考えるとはどういうことなのか』より

生活にゆとりがあるというのと同じことである。

畜産を主産業とするドイツの農山村には、牛糞をバイオ燃料にして発電し、あるいは風力発電、太陽熱利用を進めて、エネルギー自給率を数百パーセントとし、余剰分を売って豊かに暮らしている場所が増えているという。日本では牛糞は堆肥として再利用されてしまうが、未利用の風力、小水力、太陽熱は豊富にある。

今、全国で増えている自然エネルギー利用の草の根の取り組みは、明治から大正にかけての産業革命期に、「我が町にも電気を引こう」「わが村にも鉄道を敷こう」と頑張った、名もなき人たちの取り組みに重なって見える。それらがやがて日本の津々浦々を変えたように、日本はもう一度変わるだろう。筆者は、ささやかな草の根の努力が変える大いなる未来に期待している。

「再エネ大国」は地方から実現する

山口　ドイツと日本では、日本の方が潜在的な自然エネルギー量が多いんでしたね。

藻谷　日本はドイツよりずっと南にあるので太陽光線の量がはるかに多いのです。本来は日本の緯度だと、暑すぎて砂漠になるのが普通です。アフガニスタン、イラク、シリア、リビア、全部日本と同じような緯度にあるんですよ。ですが日本は偶然の連鎖で、森林に覆われていいます。木は太陽熱を何十年分も貯め込んでくれるタンクのようなもの。燃やせば、そのエネルギーを回収できます。

日本は東北から南西に延びた火山列島で、周囲に暖流が流れていて、夏は南東の太平洋から湿った季節風が吹き付けるし、冬は北西から吹いてくる冷たく乾いた季節風が日本海上でたっぷり蒸気を含む。それが山脈に当たって上昇気流になり、雨や雪を降らせる。だから木が茂るし、水力発電もできる。どの条件が欠けても、今のようにはなりません。

ドイツにも森はありますが、面積は日本の4割で、しかも寒くて日が照らないので木の成長が遅い。降水量が少ないので水力にも乏しい。風力はありますが、日本でも日本海側や北海道は負けていません。さらに巨大地震国だけに、ベース電源に向いた地熱がある。

これだけ条件がそろっていて本気でやらないというのは、財産を使い潰す道楽者の三代目を見ている感じです。

山口　そうしますと、それだけの再生可能エネルギー大国で、やり方を変えてうまく利用すれば、もっともっとこの国がよくなるんじゃないかと。

藻谷　そうですよ。ですがそもそも日本人は悲観論が大好きで、ポテンシャルが高いなどという話をなかなか受け付けません。それどころか、現にできていることも認めなかったりします。

典型が日本の国際収支です。２０１８年には19兆円の化石燃料代を支払ったわけですが、それでも国全体の経常黒字は19兆円もありました。これは、ドイツの30兆円に次いで世界2位なのです。ちなみに中国の黒字は、あれだけ世を騒がせておいて6兆円弱。米国に至っては、57兆円の赤字でした。

ドイツはEUの一部なので、日本みたいに独立体として19兆円の黒字を稼いでいる国は世界中で他にないのです。そのうち12兆円はアメリカから稼ぎ、6兆円は中国から稼ぎ、2兆円を韓国、台湾、シンガポールからそれぞれ稼ぎ、ドイツからも儲けています。ですがこの事実を語っている日本人は一人もいないでしょ。「日本は国際競争に負けた」という噂を、確かめもせずに信じ込んでいます。

このように自らの実力についてすら知ろうとしないのですから、潜在力に興味を持たないのは無理もないのです。

山口　『里山資本主義』の中で、再エネはサブシステムでバックアップだと。実際、具体的にどのぐらいまでいけると思いますか。

藻谷　場所によって違います。再エネ率は東京ではどうやっても1割はいかないでしょう。ですが地方都市なら何割かは達成できそうです。山間過疎地なら100%を超えるところはいくらでも出てくるでしょう。現に岡山県真庭市では、木質バイオマス発電で、住民の電力需要の100%をまかなっています。

ドイツだと数百パーセントという村もあって、都会にエネルギーを売って、豊かな暮らしを実現しています。日本にもそういう場所が登場するでしょう。

山口 人口が分散していれば、それぞれでできると。

藻谷 全国同時に物事が進むのではなく、人口が分散している地方から変革が進んでいくのです。

これまた応仁の乱の頃の日本と同じですね。京都の公家が全然気付かないうちに、関ヶ原の東の尾張の国の守護代の、そのまた分家だった織田家が、津島の港を差配して経済力をつけていた。そこから信長が出てくるわけです。独自に大陸貿易をしていた山口の大内氏も富を蓄え、それを接収した毛利氏が強くなる。豊臣政権は大阪の貿易で稼ぎ、徳川政権は辺境だった関東平野の生産力を高めました。他方で、京都の公家の収入源だった荘園は消滅し、京都周辺にいた商人も、大阪や江戸に移住して発展していったのです。

これから東京の収入源がどうなっていくのかはわかりませんが、エネルギー自給率を高めて経済力をつける地方は、東京がどうなろうとも増えていくでしょう。

山口 日本は地方から変わっていくと。

藻谷　そうです。地方から変わります。過疎地から変わるんです。
　都会の人も、過疎地にも拠点を持てばいい。最低限、知り合いがいればいい。100%お金頼みというのは一番のリスク。「もうこれしかないんだ」ではなく、バックアップにプランB、プランCぐらいまで用意しているぞっていう人間になればいいのです。

山口　どうしても東京にいると、お金を使わないわけにはいかない。そんな前提で考えるから進まないんでしょうね。そこの発想の転換ですね。

藻谷　そうです。何も東京から田舎に移住しなくてもいいのです。ちょっと通うだけでも大きな違いです。

山口　本当にありがとうございました。

【提言②】
日本版シュタットベルケが日本を明るくする
ラウパッハ・スミヤ ヨーク教授（立命館大学）

「シュタットベルケ」はドイツ語で「都市公社」を意味する言葉で、電気・ガス・水道・交通などを一括して提供する自治体出資型のサービスです。ドイツにはシュタットベルケが１４００以上もあり、電力販売量の６割を占めるなど大手電力会社をしのぐ存在にもなっています。ドイツのシュタットベルケに精通し、日本にそのビジネスモデルを広めた立役者である、立命館大学教授、ラウパッハ・スミヤ ヨークさんにお話を伺いました。

立命館大学経営学部国際経営学科教授。ドイツ出身。1990 年に来日。外資系経営コンサルティング会社、外資系産業機械メーカーの役員、2000 年から滋賀県に本社を置く NEC ショット株式会社の代表取締役社長として企業人のキャリアを経て、2013 年 4 月から立命館大学経営学部教授に就任。国際経営、国際産業論を担当。世界のエネルギー業界、特に再生可能エネルギーと地域エネルギー事業の分野について研究。一般社団法人日本シュタットベルケネットワーク理事。

山口　今回、再生可能エネルギーを中心に経済をうまく循環させて頑張っている地域を取材して、そういう箇所が日本のあちこちに出てきていることを確認しました。まずこの動きについて、ラウパッハさんの眼にはどう映りますか。

ラウパッハ　私から見たらこの動きは、最近ではなく、ドイツと時期的にそんなに変わらない時から始まりました。

しかし、大きく違ったところは、やはり日本は逆風の中で、ドイツは追い風でした。つまり、政策の面では、再生可能エネルギーを取り込んでいける環境は、日本とドイツでは違いました。ドイツは制度的なことは非常によかった。やりやすかった。逆に日本で、こんな逆風の中でしたたかに頑張っているというのは常に感心しています。

あともう一点。これは、地域の活性化につないでいく条件としては、やはりオーナーシップですね。誰がこの再エネの設備を所有するか。

結局、一番の効果は利益なんですね。その利益は誰のものになるのかということは、地域活性化につないでいけるかどうかにおいて、大きな意味があるんです。ですから、ドイツでは、エネルギー組合は大きな役割を占めた。または、地域の個人が会社をつくって、市民会社をつくって、積極的に再生可能エネルギーに取り組んだというのがドイツの特徴なんですね。

やっぱり再生可能エネルギーは、地域の人で、地域の金で取り組んでいく。で、将来的にそれを地域の中で消費すれば、地産地消というのは、やっぱり地域の中で循環することになるんです。取り組みとしては基本的に正しい方向ですけれども、日本はスケールがまだ小さいというのは課題だと思うんです。

日本での再エネのはじまり

山口　日本とドイツでは、行政とか政治の後押しが全然違ったということですね。

ラウパッハ　違うと思いますね。やっぱり、ドイツで2000年に緑の党と社会党の連立政権があって、脱原発を決めて。これ、2000年に決めたんですね。それと固定価格買取法を導入しました。2000年からですね。日本は、2009年は太陽光の10キロワットアワー以下の余剰電力の買取制度だったんで。日本は本格的には2012年から（固定価格買取制度に移行）でして。10年以上の違いが、差があるんですね。

やっぱりそういうのは大きいと思いますね。安心して投資できる。するのと、金融機関も、政府系の銀行も、安い金利で金を貸したり。または、助成金も最初はあったと思うんですけれども。安い金利でやったりとか、地元の信用銀行や地方銀行も、積極的に出資したり。

逆に日本では、人材もいない、事業体自体どうしたらいいのか、金融貸し出しなど、様々な制約の中で踏ん張ったっていうのは、逆に感心しますよ。

山口　私が取材したところも、結構おっしゃる通りで。皆さんものすごく苦労されて、銀行から融資を受けるのも大変で。お金を集めるのもそうですね。

日本で成功している人たちは、地域が人口減少とか、過疎化とか、消滅の危機にさらされていて、そのなかで最後の最後、背水の陣みたいに踏ん張ってやる時に、地元に「あ、エネルギーがあったじゃないか」「じゃあ、これに懸けてみよう」というので、みんなで最後頑張ってやったっていう感じなんです。それは本当に、日本とドイツで全然違うんですね。

ラウパッハ　条件が違ったり、行政の目が覚めたのも、ドイツの方がもう少し早いかなというふうには思っていますけれども。

山口　ドイツが「行政の目が覚めた」「行政のバックアップが最初からしっかりしていた」というのは、なぜだったんですか。

ラウパッハ　これは住民からの押しでもあったと思う。例えば「学校の、公共施設の屋根を貸してください」というようなことを、市民たちは結構早い段階から要求していたんです。ドイツでは、それを可能にしたと。ところが日本で、公共施設の屋根貸しは、なかなか厳しい。小学校とか、自分でもやってみたんですけど、バツバツバツ。全然だめでした、結局。

山口　日本でやってみたんですか？

ラウパッハ　日本で、やったんですよ。だめでしたよ。

山口　規制ですかね。

ラウパッハ　やる気だと思います。言い方は極端なんですけど、本質はやる気、だと思うんです。やっぱり縦割りの行政ですから。小学校とかは教育委員会がやって、「これは自分の事業目的じゃない」と。今までやらなかったことは、行政としてはなかなかやりたがらないんですよね。石橋叩いて、叩いて。

山口　日本が後ろ向きなのはすごくよく理解できるんです。縦割りで。でも、ドイツが最初から「みんなで、じゃあやろう！」となる背景はなんですか？

ラウパッハ　一つは、これ推定なんですけれども、市町村の自治ということはドイツで結構、まだ生きてる。

ドイツの市町村の数は1万7000ぐらいです。日本は1700くらいでドイツの10分の1。ドイツの人口は日本の3分の2です。ドイツの小さな村とかだったら、市長とか町長はボランティアでやってる。議員もお金をもらわないでやっている。田舎に行けば行くほど、そういう自治意識があって。だいたい田舎から始まったんですよ。

シュタットベルケは公営企業

山口　私たちもいろんな日本の地域を取材していて、「ドイツのシュタットベルケのようになればいいね」っていう話が出てくるんです。日本の皆さんにとっては「シュタットベルケって一体なんだろう？　よくわからない」というのがあるので、まずそのシュタットベルケの基本から教えていただけますか。

ラウパッハ　日本ではシュタットベルケは、いわゆる自治体新電力、つまり電力を売る会社だと思われています。でもドイツのシュタットベルケは、電気は売るんですけれども、発電もするし、配電もやっている。それだけじゃなくて、あらゆる公共サービス、公益サービス——ガスとか、下水とか、水道とか、熱、公共交通、路面バスとか、水泳プールまでを一つの事業として総合的に提供するというのが、ドイツのシュタットベルケのビジネスモデルなんです。

そのなかで、ここ20年くらいは、電力関係が伸びたんですが、公益性・公共性の高い、いわゆる社会のベースとなる「社会資本」に関するサービスを提供することが目的なんですよね。まさにそういう経済とか社会のベースになる基盤、関連するサービスとインフラの資産をシュタットベルケが提供しています。

それは自治体が大体１００％出資している公営企業です。または、民間の出資も受けて、第三セクターの企業ですね。

ただそれは、ただの電気の新電力を立ち上げるだけではないということです。

もともとの地域にある社会インフラ、公益サービスを総合的に提供するということは、「生活権」とか「生存配慮の権利」を自治体が守るためです。日本の憲法でも謳われているように、国民の幸せと幸福を、安全を保障しなきゃいけない。そういう義務が自治体にはあるわけですので、シュタットベルケ経由でそれをやっていると。


もう一つ、このビジネスモデルの特徴は、この事業の中で構造的な赤字を持っていること。例えば、公共交通、バス。田舎で誰も乗っていないバスは、採算が合わないんです。でも、やっぱり生活するには、欠かせない。水泳のプールとか、図書館とか、大体赤字なんですけど、その赤字の部門をエネルギー部門の利益で補填してやっている。これは財政的にも、税法上でも許されているわけです。

これはシュタットベルケのビジネスモデルの根底にあるわけですね。それを日本で「電気を売る」ということで立ち上げるんですけれども。「他のものがあるんじゃない?」と気付く。下水道とかゴミもあるし、場合によって水道とか公園、バスとか、いろいろあるんですよね。そこをベースにして、そこからエネルギーに(事業を)転換したらどうかっていう形で、いつも言ってるわけです。

日本にもあったシュタットベルケ

ラウパッハ　ただ、もう一つは、日本にもあったんですね、シュタットベルケ。歴史的に、日本とドイツは、ほぼ同じ時期にできたんです。「産業革命」です。

19世紀の後半から産業革命で都市化が進んで、急に水道・下水を造ったり、ガスや電気、さらには路面電車を走らせたり。これは民間がやったところもあるんですけど、日本でも多くの自治体が造ったんですね。

山口　あ、そうですか。19世紀後半から……。

ラウパッハ　明治時代の後半から大正時代にかけて、日本でもたくさんのシュタットベルケがありました。ですから、歴史は一緒なんですよ。

山口　当時は、そういうふうに日本にもシュタットベルケがあって、いろんな公営で電気とかガスや水道が……。

ラウパッハ　ガスとか水道から始まったと思う。

例えば京都で有名な蹴上発電所。あれを京都市が造った。今、地域にあちこちあったから、

「昔あったよ」って話をよく耳にします。

山口　日本にも昔は同じようにシュタットベルケがあったということですが、どこでなくなったのですか。

ラウパッハ　戦後です。戦後に、電力・ガスは地域独占、電力会社は10社、発電も送電もすべて、そっちの方になったわけですね。

今は電力自由化の中で、何もないところから、日本版のシュタットベルケをやろうというところですので。ドイツのシュタットベルケの置かれている環境と、正反対だと思います。

ドイツのシュタットベルケは、戦後ずっと地域独占だった。住民たちと企業は、その地域でシュタットベルケからしか電気やガスを買えなかった。独占で、独禁法から免除されたのです。欧州連合のエネルギー市場の自由化が1998年から始まって、誰でも電力を供給できる、誰でも電力を売れる時代になってもです。

その時は、シュタットベルケは地域独占だったので、人材もあるし、技術もわかっている。顧客も持っているし、サービス体制も持っているし、経営能力もある。つまりその時に守りの経営をやらなければならなかった。100%のマーケットシェア地域にあったので、自由化することによって、よそから競合他社が入ってきた時、シェアを必死に守ったわけです。

しかし、経営的に強い立場でできたので、いろんな改革を実際にやったんですね。民間企業と同じような条件の中で競争しなきゃいけないので、ドイツのシュタットベルケも大きな経営改革を進めたわけです。例えば、第一に、法人化を進めた。つまり行政の特別予算とか、そういう地方公営企業という法律があるんですけど、それをやめて本当に会社法に乗っかって、株式会社をつくったり、有限会社がドイツは多いんですけど、法人化したわけです。当然、いわゆるプロの経営ができた。ガバナンスを徹底させて、市場競争の中で頑張らなきゃいけない。しかも公益性という使命をしょって、利益を出しながら、赤字部門も抱える。

今の日本の新電力の立場と全然違います。何にもない。

山口　日本がね。

ラウパッハ　ええ。日本は何にもない。ブランドもない。「行政から電気を買うなんて」ってみんなが思うでしょ。水道局とかそういう部隊があればいいですけど、あえてそこを離れてやるわけですから、ゼロからスタートなんですね。

ですから、日本でシュタットベルケを始めるには、理想的には、特に少子高齢化、人口減少の時代、特に地方で未来の社会インフラを維持し、新たにつくるためには、やっぱり公益性という使命、政策的な使命を持っている部隊や主体が要るんですね。

最近、世界の流れは民営化したものが戻ってきている。イギリスやアメリカでさえ、公営企業をやろうという世界の流れだと思う。

山口　ドイツにおけるシュタットベルケは数も多いし、すべての電力に占める比率もすごく高い。どのくらい高いですか。

ラウパッハ　6割くらい。ドイツ全体の電力販売量の6割以上、シェアを持っています。住民だけじゃなくて企業も含めての数字です。

山口　数はいくつくらいですか。

ラウパッハ　1400以上ある。ここ10年で、新しく設立されたシュタットベルケは150社くらいあるんですね。

山口　すごいですね、大手の四大電力より、ドイツはシュタットベルケのシェアが多い。

ラウパッハ　多い。伸ばしてきました。電力が自由化した時に、「シュタットベルケは絶滅するよ。1400社が100社くらいしか残れないよ」と、ドイツ銀行の調査で発表されたわけです。でも、逆でしたね。大手電力会社は大変な目に遭って、逆にシェアを落とした。

シュタットベルケを私は美化するつもりじゃないんですよ。苦しい経営をやっているところもありますし。やっぱり大変ですよ、電力事業は。

これからも、このままで健全な経営をやっていけるかということは、シュタットベルケ自身も危機感を持って、今、新しい事業に取り組んでいるわけですね。しかし、電力自由化の中で、きちんと生き残れて、エネルギー部門はかなり高い収益を生み出したわけです。

一つは配電網の、いわゆる託送料金で、安定的な収益を得ています。これは日本にないんですよね、まだ。

山口　そこですよね。配電網を独自に持っているのですか。

ラウパッハ　営業権を持っています。これ、「コンセッション方式」（特定の地域や範囲で、免許や契約で独占的な営業権を与えられて行なう事業方式）ですけれども。

大体のシュタットベルケは、配電網を営業権で持っていますが、自治体からのコンセッションは20年ごとに入札で決める。その入札の条件に沿って、シュタットベルケを取得することが多いですね。そうすると、配電部門も収益を得ることができます。これはある意味で収益を担保されている事業なのです。と言いますのは、地域独占ですので、厳しく管理されているのです。

結構、「託送料金」はどうなっているのか、とかですね。または、公平にアクセスできるとか、重要な要素ですね。「発送電分離」については徹底されているので、配電部門もその対象になっています。しかし、管理される代わりには、そんなに高い収益ではないですけど、安定的な収益を得られる。ということは、シュタットベルケの経営基盤を安定させる構造になっているのです。

山口　ところで、日本では、2020年4月に発送電分離になるんですね。今、経済産業省で、分散型のエネルギーシステムの構築という議論が始まっています。そのなかで、大手電力会社が持っている配電網を、免許を与える形で事業者に貸し出すという制度の議論がようやく始まったんです。この動きはどうご覧になりますか。

ラウパッハ　チャンスだと思いますね。詳細はわかりませんので、制度設計次第です。

地域で配電網を取得する流れもあるでしょう。逆に大手電力会社でコストが高い配電網を手放したいところもあると思う。不良資産みたいになっていて。まあ、それをそのまま買うっていうよりは、未来のマイクログリッドを構築することを検討する話。そういう改革につながればいいと思う。

でも、基本的に期待したい動きだと思いますし、なぜ地方に限るのかと、逆に思います。人口10万人以下とか、そういう条件じゃないですか？

山口　あれは、本当に地方を想定しています。

ラウパッハ　ですから、経済産業省の頭の中には、再生可能エネルギー＝地方だという構図がある。でも、そうじゃないのではないですか。東京だって、立派にできる。

あと、電気だけじゃなくて、熱が重要です。売り上げはそんなに大きくはないんですけど、シュタットベルケの一つの重要な事業として、熱事業があるんですね。地域暖房をやっているのです。日本で地域暖房は話題になっているんですけれども、なかなか規制があったりとか、既存の設備が違いますから。

しかし、再エネで熱を作るということは、2050年までに温室効果ガスの排出削減について「実質ゼロ」をやろうと。そのためにも熱を取り込まないといけないと思うのですね。

山口　それは、地方だけじゃなくて、都会も。

ラウパッハ　都会もです。

山口　シュタットベルケって、田舎のイメージを持っていたのですが、ドイツでは大都市でもシュタットベルケですか。

ラウパッハ　もちろん。1400社くらいあるシュタットベルケは規模がまちまちなんですね。小さなところもあれば、数千億円の売上規模のシュタットベルケ・ミュンヘンみたいなところもあります。電力会社としてはドイツ最大です。あとは、フランクフルトのマイノーヴァ社も大きいですし。ケルン地域も大きいです。すごく大きな、マンハイム（MVV Energy社）。上場しているシュタットベルケもありますし。まちまちですよ。大きな都市はありますよ。

山口　大都市もシュタットベルケのシステムで十分まかなえているわけですか。

ラウパッハ　はい。しかも、ミュンヘンのシュタットベルケでは、ミュンヘン議会が2025年までに、市で使っている電力をすべて再エネに切り替えていこうという政策を打ち出した。それは、議会が決めたんですけれども、やる主体はシュタットベルケなんですよ。もちろん、それを経営的にちゃんと利益が出る形でやらなきゃいけないわけですけど。そういう政策の上に乗っかって、ミュンヘンのシュタットベルケは、非常に積極的に再生可能エネルギーに取り組んでいるんですよ。で、見事に進んでいます。

あそこは、すべてを市の中にある資源でやることはできませんので、例えば、洋上風力発電に出資したり、スペインのメガソーラーにも出資している。でも、市内でもいろんなことをやっているし、地熱もやっている。これ全部シュタットベルケがやっています。マイノーヴァ社もそうですね。

山口　今、都会に住んでいても洋上風力に出資するという話が出ました。洋上風力に出資をして、エネルギーを買ったことにする。それで再エネを使っていることになるということですか。

ラウパッハ　そうですね。実際、自分のものなんです。だって、出資しているわけだから。目的会社をつくって、単独出資するところもあれば、できたところに資本参加することもある。これは、多くのシュタットベルケがやっていますよ。

再エネに向けて、日本の課題

山口　シュタットベルケがうまくいっていることが背景にあると思いますが、ドイツの電源構成に占める再エネの比率は、40%いったのですか。

ラウパッハ　はい、2019年は46%までいったと見られています。

山口　日本が、2018年度最新の数字で総発電量に占める再エネの比率は16・9％。この差はなんだと思いますか。

ラウパッハ　制度設計と政治の志だと思います。

山口　根本的なところですね。

ラウパッハ　そうですよ。日本は、ドイツ以上に再生可能エネルギーのポテンシャルは、確実にあります。データとしてあります。環境省だって、日本が使えるようになる再生可能エネルギーは、潜在的には必要量の1・8倍あると言っていますね。確実にあるにもかかわらず、相変わらず19兆円を中東などに支払っています。

山口　そのお話も聞きたかったです。

ラウパッハ　地域活性化するということは、出るお金も抑えて、自分の中で回すことですから。

山口　そこが重要なところで、ぜひ伺いたいのですけど。お金の流れで考えてみた時に、シュタットベルケのメリットはどういうことが言えると思いますか。

ラウパッハ　地域経済に深く根付いている。地元のブランドも、非常に高い信頼を持っている。で、地域の経済に大きく貢献しています。これは、数字の上でも、検証されています。「地域経済付加価値分析」というのがあるのですけど、つまり、売り上げ1ユーロに対して、地元の所得として、地元への利益がどのくらい落ちるのか。あとは、税金をどれだけ払っているのか。そういうのを付加価値として分析します。で、大体売り上げの5割が地域の中に落ちるんですよ。そういうデータがあちこちにあるので。

やっぱりシュタットベルケも、いわゆる公営企業ですから、民間企業の投資活動を圧迫するようなことを懸念されているんですよ。民間でできるものは、本当は民間でやるべきなので。それを気にして、設備投資をやったりとか、何か発注する時は地元の企業に発注したり、考慮しています。あとは雇用です。雇用効果が、もちろんありますし、しかもペイがいいですね。労働条件がいいのと、安定的です。行政がバックですから、そんなに悪い賃金を払えないじゃないですか。

山口　雇用先としても、人気があるんですね。

ラウパッハ　人気があるんです。地元で安定雇用ですから。

山口　シュタットベルケのように、今後、日本でも再生可能エネルギーが主体になると思うんです。地域のエネルギーを使って、そこの電気代を払えば、地域の中でお金がさらに回っていくわけですね。

ラウパッハ　それもそう。地域で電力を買って、売り上げは地域の売り上げになるし。発電もそうですし。作った電気を地元の新電力に提供し、その利益も地元に落ちるという、いわゆる地産地消の仕組みです。

山口　それが、発電だけではなくて、電気もガスも。

ラウパッハ　ガスも、熱も。水道とかも。

山口　そういうところの利益を赤字のバス路線に回したりしていると。

ラウパッハ　はい、そうです。

山口　まだ日本には民営化した方がいいんじゃないかという議論もありますが、民営化した時のデメリットや弊害もあるということですか。

ラウパッハ　ヨーロッパの経験としては、エネルギー市場の自由化の後で、自治体はシュタットベルケをもうやっていられないということで、民間から出資を受けたり、民間に委ねたケースもあったんですね。その結果として、料金は思ったほど下がらない。設備投資、特にインフラ投資はやってくれない。サービスは低下する。イギリスでもそういう話は聞きます。

これは、民間企業、特に後ろに資本市場が働いていますので、やっぱり収益性を重視しないといけないわけです。しかも、短期的な収益性を重視しないといけないということでして。そういう経験があって、やっぱり買い戻す、という流れになりました。

それと、民営化していても、ちゃんと自治体としてやらなきゃいけないサービスがありますので。その保証責任があります。じゃあ、民間企業にいろんな約束をさせないといけないし、監視コストもあるでしょうし。逆に民間企業は収益を出さないといけないので、採算が合わない資産は自治体に残ったり。
ですから、本当に民営化の結果が出ているのかということを検証したらいいかなと思います。

山口　おっしゃる通りですね。

再エネ率を上げるにはどうすればいいか

山口　化石燃料に、日本は依存しています。今、国内で供給される一次エネルギーのうち2018年度は85・5%を化石燃料に依存していて、18年度は年間で化石燃料輸入に支払われた額が19兆円だったのですけど、莫大な額が払われていますよね。一方で、再エネがあんまり伸びていないです。この実態はどう見ますか。

ラウパッハ　足踏み状態ですね。ドイツは、再エネが4割を占めているのだけど、まだまだ不都合な事実があるのですね。石炭、特に、汚い褐炭（石炭のなかでも石炭化度が低く、水分や不純物の多い、最も低品位なもの）です。
ドイツでは温室効果ガスの量はなかなか減ってこなかった。去年落ちたんですけど。やっぱり今、脱原発の次は、脱炭素が大きなテーマで、まだまだ抵抗が強いのですね。この間、法律が決まって、やっと進めていくんですけど、具体的にどうするか、いつまでか、なかなかまだハードルが高い。

山口　私もニュースで見たのですが、ドイツは脱石炭を決めたんですよね？

ラウパッハ　決めたんですけれど、実際に、具体的に、どこを締めてくるかっていうロードマップまでは、まだこれからだと思いますよ。ですから、それはともかくとして、脱炭素の路線に乗っているのは、確かです。

で、日本はやっぱり政策が違います。原子力だけなくて、クリーンコール（石炭を燃やした時に発生する二酸化炭素・硫黄酸化物・窒素酸化物などの有害物質を減少させる技術）とか。この前のG20で取り上げられた「Carbon Capture and Storage（CCS：二酸化炭素回収・貯留技術）」と「カーボンリサイクル（二酸化炭素を資源として捉え、分離・回収し、再利用することで排出を抑制する）」とか。日本の経済産業大臣が先日おっしゃったように、クリーンコールという選択肢を残したいのですよね。これはやっぱり、相反しているところがある。

再生可能エネルギーを主力として認めてくださったんですけど、目標は22〜24％。

山口　2030年の達成目標ですね。

ラウパッハ　何もしなくてもこうなるでしょう。ですから、もっとターゲットを引き上げていきましょうと。しかも、世界では再エネが、経済性が一番優れている電源になりつつある。だいぶ設備と発電コストが下がってきた。それと比べれば日本はまだまだで、下がってきたんですけど、世界のレベルと比べてまだ風力も倍以上高い。バイオマスも同様です。太陽光もだいぶ下がってきたんですけど、それでもやっぱりまだ高い。

本当にコスト削減を徹底させるために、規制を緩和したり、競争を必要としています。パネルメーカーの競争は激しいですけれども、土木関係、建設関係、そっちのコストの方が高いみたいですね。

山口 設置の費用が高い。

ラウパッハ もちろん、日本で地震が多いとか、台風とか災害が多いから。地理的な条件はわかりますけれども。でも、「倍」じゃないですよね。2、3割高いならわかりますけど。小水力とかは3、4倍ですから。

山口 脱炭素もそうですが、化石燃料に20兆円近いお金を払っているわけですよね。日本は特に、地方に再エネの潜在率が高い、ポテンシャルが高いといわれています。そうすると、地方の再エネを都会の人が買ったら、中東などに向かっていたお金が日本の地方に向かって、地方が元気になるのでは?と私は思うのですが。

ラウパッハ 少なくとも、ドイツではそういう経験を持っています。実際に「地域付加価値経済分析」で検証されています。

私は「地域付加価値分析」を日本に持ってきたんです。ドイツのシステムをベースに京都大学と環境エネルギー政策研究所と一緒に作って、いくつか検証しました。例えば、長野県の環境エネルギー政策を検証したりしました。やり方によって、大きな地域経済効果は間違いなくある。

山口　日本は今、地方が人口減少で消滅してしまうんじゃないかといわれているんですが、ドイツの地方は元気なんですか。

ラウパッハ　ドイツも、地域格差は大きな課題があるんです。これは東西ドイツだけじゃなくて、旧西ドイツの中にも、構造的に弱い地域があるんですね。

また、都市化が進んでいることも背景としてあります。これは世界的な動きで、止められないかもしれないのですが、緩和はできると思うんですね。

再生可能エネルギーは、その一つの手段だと思う。

日本の環境省は今、地域創生という名でSDGsを成長戦略として推進しています。データで見ますと、地域のエネルギー収支、自治体の9割は赤字なんですね。地域の7割は、赤字額が地域内の総生産額の5％以上を占めている。つまり、稼いでいるお金の5％はエネルギーのために、電気だけではなく一番多いのはガソリンだと思いますけど、外に支払われている。

山口　なるほど。

ラウパッハ　RESASというシステムがあって、そのシステムに基づいている地域経済循環分析のツールを環境省が公開しているんです。これは、再生可能エネルギーの導入などの環境施策や、中心市街地活性化などの地域施策を実施した場合の、地域への経済波及効果を分析するためのツールです。それをベースにして、環境省は計算しました。

その結果、150か所の自治体で、地域のエネルギー収支の赤字が地域内の総生産物10%にも相当するんですね。すると、所得が低ければ低いほど、エネルギー収支の赤字の割合は高くなる。貧乏であればあるほど、エネルギーのために使っているお金が多いわけですね。何もないところこそ、自分の持っているエネルギーを使うべきなんです。もともとそこにあるんですからね。

エネルギー収支と金融収支の深い関係

ラウパッハ　じゃあ、誰がお金を払うかと。これは、もうひとつの現実があるんですね。これは、金融収支の問題です。

日本の行政はお金がないんですけれども、日本の国民はお金持ちなんです。田舎にも結構、タンス預金があるんです。信用銀行とか地方銀行、ゆうちょ銀行、ＪＡバンクとかありますね。かなりの預金額があるのです。

その預金はどういうふうに活用されているかと言いますと、東京で国債を買う。金融収支としては、もともと地元にある預金が、国債を買うために外に出て、そこの利益も外に出てしまう。さらに、金利はマイナスですから、貯金が消耗しますね。

もっと地元に眠っているお金を、直接地元に使ったらどうか。両輪だと思うんですね。エネルギー収支と金融収支は、並行して改善できると思います。

山口　ドイツは、それをやっているということですね。

ラウパッハ　そうです。実はもう一つ、面白い事実があるのです。

シュタットベルケは、いわゆる社会インフラなんですね。もう一つはドイツ独自の金融機関のSparkasse（シュパーカッセ）。自治体が１００％出資している金融機関です。これは、日本で言うと、ゆうちょ銀行みたいなもの。これとは別に信用組合方式の銀行もあります。そこは結構、預金を持っていて、地元の会社に貸したり、再生可能エネルギープロジェクトにも、積極的に貸してきたわけです。

日本の自治体は銀行を持っていませんが、地方の銀行があります。ドイツはそれを自治体が持っている。しかも、かなり経営的に自立しています。

日本には明るい未来がある

山口　日本に住んで30年以上ということで、日本を知り尽くしていらっしゃると思いますけれども、今後の日本の未来について。今、話題にしてきたエネルギーですとか、気候変動、地方自治など日本の未来について、どんなことを感じていらっしゃいますか？

ラウパッハ　日本は高齢化、少子化、人口減少を一番最初に、世界で初めて経験している国です。誰も、どこの国も経験していないようなことをやっている。そういう意味で、世界のモデルになるんですね。それは、逆にいいチャンスでもあるんじゃないかと思います。

「こういうやり方でやれるんですよ」と世界に示せる。

すごく豊かな国だし、世界と比べれば、本当に安全でもあるし。格差は、もちろんあるんですけれども、やっぱりまだ、いわゆる社会信頼関係、信用も、まだまだあると思う。こういうことをちゃんと維持できている。

私は個人的に、量的な成長はともかく、心も豊かで、質的に成長していくという意味では、大きなモデルになるのではないかと思っています。そこで、やっぱり、エネルギーもひとつの切り口ですね。

再生可能エネルギーは、分散型で、非常に民主主義的ですね。誰でも参加できる。それと、情報技術と融合させて、しかも自動運転とか、ＩｏＴ（インターネット・オブ・シングス）とか、自治体それぞれが持っている可能性と結び付けたら、大変豊かな、心の中に余裕を持てる可能性があります。なぜなら、生産性はものすごく高くなりますので、余裕が出るはずなんですね。懸念そういう、未来は自分でつくれるんだっていうポテンシャルは日本にあると思いますね。懸念しているところはいっぱいあるんですけれども、可能性もいっぱいあると感じています。

山口　日本はなかなかその方向に、うまく流れていかないのですけれども、どうすればいいとお考えですか。

ラウパッハ　政治に参加することです。民主主義ですから、参加するということは、積極的に議論を起こす。摩擦を避けるのではなく、立場はいろいろ、見方もいろいろあるのですから。それをぶつけ合って、解決を探っていくっていうようなことは、なかなかないように感じています。やっぱり、自分で囲みをつくって、相手と接触しないような印象があるんですね。

山口　ドイツの方は、結構、議論するんですよね。

ラウパッハ　しますよ。議論は相手を否定するわけではない。相手の意見を取り入れてするものです。

日本人だって、昔は議論したわけですよ。学生に対して、60年代とか、激しい対立があって。そこから共通の意識が生まれてきて、成長できたし、豊かな社会になったと思うんです。やっぱり、議論を避けては通れないんですね。

山口　日本の未来に関しては、やり方次第だと思うんですけれども、明るい未来もあるということでしょうか。

ラウパッハ　私はそう思いますよ。戦争さえなければ。気候変動だって、打てる手はわかっていますから。やれますから。適応策と緩和策、両方やれる。人類はできるわけですね。戦争になったら、それが全部できなくなる。

山口　本当にそうですね。本日はありがとうございました。

【提言③】
日本を襲う温暖化の実態
高薮出研究総務官（気象庁気象研究所）
中北英一教授（京都大学防災研究所）

台風の激甚化と温暖化の影響

２０１９年は、台風による災害が相次いだ年でした。９月の台風15号は、関東で観測史上最も強い（島しょ部を除く）記録的な暴風を吹かせ、最大約16日間にも及ぶ大停電をもたらし、10月には台風19号が全国１２０地点で観測史上最も多い雨を降らせ（12時間雨量）、未曽有の豪雨災害を引き起こしました。

２０１８年の西日本豪雨に続き、深刻

高薮 出（たかやぶ いづる）
気象庁気象研究所 主任研究官。国交省気候変動を踏まえた治水計画に係る技術検討会委員。環境省気候変動による災害激甚化に関する影響評価検討委員会座長。IPCC WG1 第 6 次評価報告書の主要執筆者。2019 年度日本気象協会岡田賞を受賞。

な被害をもたらした原因として、近年、日本近海で海水温の高い状態が続いていることが挙げられています。海でも進行する温暖化、そして、「水蒸気の帯」の発生。今後、想定される懸念はどのようなことがあるか。

再生可能エネルギーの推進を急がなければならないもう一つの重要な理由として、地球温暖化と、日本に甚大な被害をもたらした台風との密接な関係があります。2019年10月20日に「BS朝日日曜スクープ」で、2人の識者、気象庁気象研究所研究総務官の高藪出さん、京都大学防災研究所の気象・水象災害研究部門教授・中北英一さんにお話を伺いました。その放送のエッセンスをお伝えし

中北英一（なかきた えいいち）
京都大学防災研究所 気象・水象災害研究部門 教授。専門は、レーダー水文学、水文気象防災学。気象レーダーを用いた豪雨・洪水予測、気候変動による災害環境への影響評価に長年携わるとともに、ハリケーン・カトリーナなどの国内外の災害調査にも従事している。

ます。

２０１９年の台風19号は、なぜ、これほど強い勢力になり日本に上陸したのでしょうか。２０１９年10月上旬の日本周辺の海面温度を確認すると、30度という海面水温の高い部分が日本列島のすぐ南にまで迫っていたのがわかります。30年前の１９８９年10月のものと比べるとその差は歴然です。台風19号は、こうした海面水温の高い場所を通って勢力を落とすことなく日本に近づきました。（口絵８ページ上）

台風19号は発生直後の10月６日、中心気圧が９９２ヘクトパスカル（気圧の単位。低いほど台風の勢いは強い）、「強い」というランクだったのですが、わずか24時間後の７日には、中心気圧が９１５ヘクトパスカルと77ヘクトパスカルも下がってしまい、「猛烈」な台風に発達しました。

この台風19号の急速発達について高薮さんは次のように話しました。

「急速発達したのは、実はかなり南の海域で、海面温度30度のところです。急速発達に関しては、そこにものすごく高い水温があって、しかも、あまりその上の方で強い風が吹いていなかったということです。上と下で風速が違うと、積雲が立っても傾いてしまいます。垂直に立つことが、発達にはすごく重要なのです。77ヘクトパスカルの変化は本当に驚くべき数字です。文献によると24時間で42ヘクトパスカル以上の変化が急速発達なのですが、専門家によりますと、今回の急速発達は、ここ十数年なかった、近年まれに見る現象だと聞いています」

高薮さんが指摘するように、非常に高い海面水温でまれに見る急速発達をした台風19号ですが、台風が強さを保つためには27度以上の海面水温が必要とされています。そこで注目されるのが、海面だけでなく海中の温度なのです。２０１９年10月11日の水深50メートルの温度を見ると、水深が深い部分も水温がだいぶ上がっていたのです。ここに、巨大な台風につながるポイントがあると高薮さんは指摘しました。

「通常、台風は日本に近づいてきますと、どうしても勢力が弱まってきます。ところが今回は、台風が急速発達し、９１５ヘクトパスカルになった後、４日間この勢力を維持し続けました。その間、ノロノロと北上したんですが、そこも一つのカギでして、その時の海水温がどうだったか見ますと、吸い上げてしまう水深の深いところの水温が高かったわけですね。そうすると台風は弱まらず、どんどん北上する。その期間があったということが、もう一つのポイントですね。海中の温度も高いので、この水を持ち上げてきても、台風は全然弱くなりません」

台風19号が急速発達し、勢力を維持したまま日本に接近した背景には、水深の深いところまで暖められてしまった海の温暖化が影響した可能性があるのです。

大気中の水蒸気量の増加が災害を拡大させる

それにしても、なぜ台風19号があれほどの雨を降らせたのでしょうか、その原因を紐解く一枚の衛星画像がありました。

２０１９年10月11日、台風が上陸する前日午後４時の雲画像を見ると、台風本体の東側に、帯状の細い雲が南へと一つの長大な筋になって延びているのが確認できます。これが「水蒸気の帯」と呼ばれるもので、台風が水蒸気をポンプのように吸い込み、台風本体に引き込んでいく動きがあったのではないかと見られているのです。中北教授は「水蒸気の帯」について次のように解説しました。

「基本的には、台風がポンプ役になり、南からどんどん水蒸気を日本列島に放り上げているということが、総雨量が多くなった大きな要因だと思います。

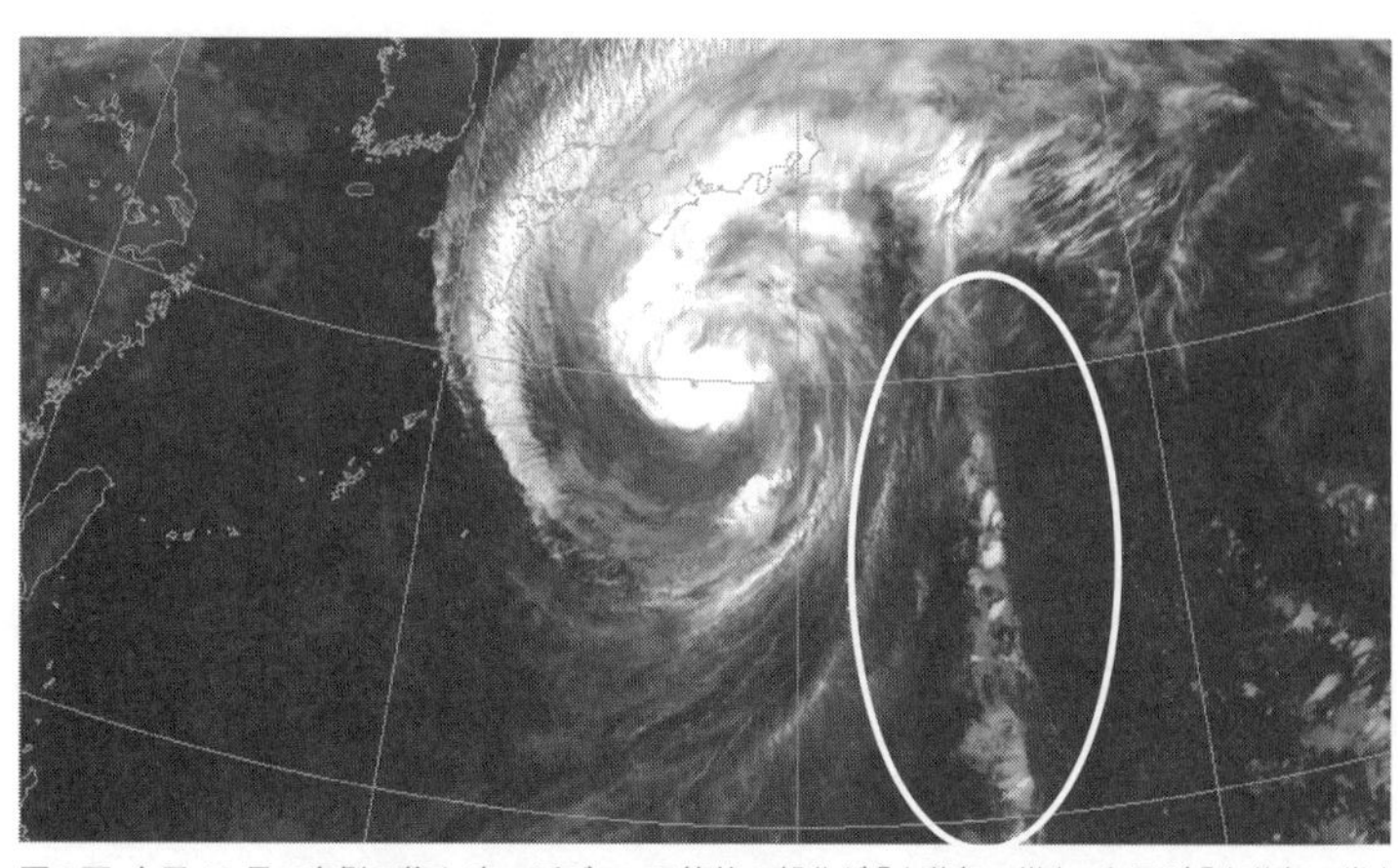

図の下、台風 19 号の東側の薄く、南へ延びている筋状の部分が「水蒸気の帯」。台風が「水蒸気の帯」を引っ張り上げるようにして同化、日本列島に接近し上陸、大雨を降らせた（提供 筑波大学 釜江陽一助教）

レーダーの総雨量分布を見ると、今回は必ずしも山にきれいに沿ったわけではありません。それ以外の風の集まり具合によっても、集まると上昇気流ができますので、そういう現象も両方起きたというのが今回の雨の特徴じゃないかと思っています」

さらに高薮さんも続けました。

「近年、海面水温がどんどん上がって、その上の空気も暖められ、空気が持っていられる水蒸気の量も温度によるわけです。温度が1度上がると空気中に含まれる水蒸気の量が7%ほど増えるといわれています。この『水蒸気の帯』というのは、当然パワーアップして日本にやってくることになります。その水蒸気はどこから来たかと言うと、熱帯の方から延々とやってくるのです。熱帯の方の高い水温で起きた水蒸気の固まりが、どんどん供給されていると。パプアニューギニアあたりから来ているのではないかといわれています」

水蒸気に関しては、他にも研究されているものがあります。それは「大気の川」と呼ばれる現象です。その「大気の川」の異常な水蒸気量が、2018年の西日本豪雨に影響したといわれています。2018年7月6日の西日本豪雨当日、午前9時の日本周辺上空の水蒸気量を見ると、水蒸気量の多いことを示す部分が、台湾の南から沖縄の上空を通り、九州から西日本にかけて延びているのがわかります。これが「大気の川」と呼ばれる水蒸気の流れです。西日本豪雨の「大気の川」は、長さ約3000キロ、幅800キロにも及びました。その水量は毎秒

48万立方メートルと、アマゾン川の2・4倍の流量にあたる水が、水蒸気として西日本に流れ込んでいたことになるのです。（口絵8ページ下）

中北教授は「大気の川」についてこう解説しました。

「特に梅雨の時期は、昔は湿舌（しつぜつ）と呼んでいたものですけれども、その先で、線状降水帯といわれるものが起きる。2014年の広島の豪雨もそうですし、2017年の九州北部豪雨、大土砂災害、土石流でも、たくさんの方がお亡くなりになりました。それも同じようなことになります。この『大気の川』の東の端は、どんどん東へ、また、より北へ行くというのが、将来予測として科学的にいわれています。梅雨の線状降水帯的な豪雨も、関東エリア、東北エリア、北海道エリアでより起こりやすくなるということも出ています」

日本はこの100年で、気温が1・24度上昇していると気象庁は説明しています。つまり、日本上空の大気には、すでに7％多く水蒸気が含まれているということになるのでしょうか。

高薮さんは西日本豪雨についての数値実験の結果を踏まえ、こう語りました。

「実は西日本豪雨の際、産業革命前の環境に大気の場を戻して、数値実験をしたところ、この地域での総降水量が6・5％ほど減りました。というわけで、西日本豪雨についての実験結果からいうと、大気中の水蒸気量は現在すでに、7％ぐらいは温暖化の上乗せが来ていると言えるかと思います」

温暖化で洪水が加速度的に増える

さらに、温暖化が水害にどういう影響を及ぼすかを示した国土交通省のデータがあります。仮に産業革命前と比べて気温が2度上昇した場合には、降雨量は約1・1倍増え、川を流れる水の量は約1・2倍になり、洪水の発生頻度は約2倍になるとされています。仮に気温が4度上昇すれば、降雨量は約1・3倍に増え、川を流れる水の量は約1・4倍に、洪水の発生頻度は約4倍にもなってしまうというのです。

中北教授は次のように警鐘を鳴らしました。

「これは国土交通省が、気候変動に対応した治水計画の技術検討会で、将来、科学的な予測情報を使って全国の河川について調べ、平均的に出した答えです。現実としてあり得ると。2度上昇というのは、二酸化炭素の排出ペースを今より少なくしても2度上昇するということで、上昇を2度未満に抑えるという目標を揚げられているのですが、さらに、今のペースで二酸化炭素を排出していくと、世紀末には4度上昇になる危険性が高い。ですので、治水としては4度上昇のことも考えながら、2度上昇はより現実なものであるとして、今、動きださないといけない。時間がかかりますので。特に河川整備は。後悔しないためにも、今から決断して動くことが大事です」

「温暖化にこれから対応する、適応と言うのですけれども、そのためには『インフラ整備』と『危機管理能力を上げる』。発電施設も洪水・高潮対策として上へ上げておくのを含めてです。それから『逃げる力をそれぞれの地区で養う』という、この3つが大事なことなのです」

（2019年10月20日放送より抜粋、加筆修正）

この章のまとめ

◉地方にこそチャンスが転がる時代。再エネ発電が、地方の経済格差と人口問題を同時に解決する。

◉ドイツの「シュタットベルケ」に習い、再エネ発電を中心とする公共サービスが今後の有効策となる。地域からお金を漏らさない仕組み作りが大切。

◉ 2019 年台風 19 号の発達した背景には、海の温暖化と水蒸気量の増加が影響した可能性。

◉現在は産業革命前と比べ、気温は1度以上も上昇し、その影響が現れている。

◉温暖化で洪水が加速度的に増える。産業革命前と比べて気温が2度上昇した場合、降雨量は約 1.1 倍増え、川を流れる水の量は約 1.2 倍に、洪水の発生頻度は約2倍になる。

◉温暖化への適応策として、インフラ整備、危機管理能力向上、逃げる力をそれぞれの地区で養う必要がある。

第8章

再生可能エネルギー大国 日本の未来

温暖化に技術革新で立ち向かう

２００8年6月、私は温暖化問題を扱った特別番組『地球危機2』の取材で、大半が北極圏に含まれる氷に覆われた世界最大の島、グリーンランドの氷床の上を歩いていました。どこまでも広がる真っ白なグリーンランドの氷床が異例の暖かさで解け始め、氷のくぼ地に真っ青な巨大な湖がいくつもできていました。さらにその周辺では解け出した水が激流となって幾重にも青い筋をつくり、氷床に大きな穴を開け、奥底へと滝のように流れ落ちていました。取材に同行した、グリーンランドの氷床に詳しいコペンハーゲン大学のシーフス・ヨンセン博士は、「激流は分厚い氷床を約５００メートル突き破り岩盤にまで到達しています。その影響で氷床が岩盤からはがれ落ち、氷河となって次々と海に溶け込んでいて、温暖化によりそのスピードが上がっているのです」と指摘しました。

２０１9年12月、イギリスの科学誌『ネイチャー』は、グリーンランドの氷の融解は予想よりも速いペースで進行しているという研究結果を掲載しました。掲載された論文の執筆者は、「現在の傾向が続くと、グリーンランドの氷の融解だけで、今世紀末までに世界で毎年約1億人が洪水に見舞われることになる」と警告しました。

私は温暖化の影響を研究している科学者たちの警告が現実になってきたと肌で感じています。

２０１３年11月、スーパー台風ハイエンは中心気圧が８９５ヘクトパスカルにまで急発達し、最大瞬間風速90メートルという猛烈な勢力で、フィリピンのレイテ島を直撃しました。私は、高さ4メートルという巨大な高潮が発生し、死者・行方不明者が７０００人を超えたという現地に向かい、壊滅的な被害を受けたタクロバンの町を取材しました。家が流され食べるものもなくなり、明日を生きるために配給を求める人々の緊迫した表情が強く印象に残っています。当時もフィリピン周辺の海面水温が高く、スーパー台風ハイエンは急発達しながらレイテ島を襲い、甚大な被害を残していたのです。

２０１５年11月、太平洋に浮かぶ小さな島国マーシャル諸島の孤島キリ島に私はいました。島では温暖化による海面上昇が深刻化し、大波が島の護岸を砕き、大量の海水が陸地に浸入して住宅街に流れ込み、島全体の９割の土地が海水に浸かりました。島民が私たちに語った言葉が今でも忘れられません。「世界の皆さんに一言、言わせてください。この島でこんな災害が起きていることを、みなさんはどう感じますか？　この先何が起きるのかもわかりません。私たちがどうしたらいいか、みなさんに考えてもらいたいのです」

温暖化の影響は日本でも年々厳しくなっています。東京都監察医務院によれば、東京23区で２０１８年6月から9月に熱中症により死亡した方は１６４人にも上っていたことが明らかになりました。また、全国で熱中症により救急搬送された方は、２０１９年５月から９月までの間に、７万１３１７人に上っていたことが、総務省消防庁により発表されました。これは２０１８年の９万５１３７人に次いで、統計開始以来２番目に多い人数でした。

こうした本当に深刻な温暖化の被害が続く一方で、人間の英知は未来への希望をもたらしてくれます。

２０１９年10月、リチウムイオン電池を開発した旭化成名誉フェローの吉野彰さんは、化石燃料が不要な社会を実現する可能性を切り開いたとして高く評価され、ノーベル化学賞の受賞が決まりました。

吉野さんは同年12月、授賞式に参加するために訪れたスウェーデン・ストックホルムで、ノーベルレクチャーといわれる記念講演を行ない、環境問題への思いを次のように語りました。「今年のノーベル賞に選ばれたのには二つ理由があります。一つ目は、リチウムイオン電池がモバイルＩＴ社会を実現したこと。二つ目は、リチウムイオン電池が持続可能な社会を創り出すと期待されていることです。リチウムイオン電池市場は１９９５年から急激に成長しました。１９９５年は非常に重要な年で、ウィンドウズ95が発売されるなどＩＴ革命が始まった年でした。そして最近、リチウムイオン電池への特許出願数が再び増えているんです。私は次の革命が始まっていると確信しています。次の革命はエネルギーと環境です。私はその革命を、ET（エネルギー・テクノロジー）革命と名付けました。リチウムイオン電池のマーケットシェアでは、2017年に電気自動車がモバイルITを逆転し急拡大しています。未来の予想では、2025年に電気自動車がリチウムイオン電池のシェアの大半を占めるでしょう。ただ、その2025年時点では、電気自動車は自動車の販売シェアの15％程度と見られます。しかし、その2025年の後がとてもとても重要なのです。私たちの世界は劇的に変わると考えています。今、人々は多くの環境問題を抱えています。まだその解決の答えを見つけられていません。私たちは、環境と経済、便利さの3つの課題を抱え続けているのです。この3つの課題を同時に解く方法はあるのでしょうか。私は、あると信じています」

そのように語った後、吉野さんは、未来の社会をイメージした映像を会場の大スクリーンに流しました。そこには、2030年の世界が描かれていました。吉野さんによれば、人工知能（AI）によって自動運転になった電気自動車（EV）＝「AIEV」がネットワークでつながり、事故や渋滞を起こすことなく街中を走ります。AIEVはタクシーのように使われ、乗車した人はAIと会話し様々な情報を得ながら、全くストレスを感じることなく目的地に移動できます。AIEVはまるでスマートフォンのように毎月の定額制で共有され、個人の費用負担は現在の7分の1になります。AIEVは都会だけでなく地方でも利用でき、環境に負荷をかけません。ＡＩＥＶは人を運ぶだけでなく電気を運ぶ役割も果たします。全自動の電気ステーションでは、太陽光や風力で作った電気がＡＩＥＶに充電され、電気の供給量が減ってくれば、ＡＩＥＶが電気ステーションに給電するなど、ＡＩＥＶは社会の巨大な蓄電システムにもなるのです。ＡＩＥＶは再生可能エネルギーを安定化させ、個人の所有ではなく社会で共有され、効率的に使用され、環境にやさしく、資源やコストの削減に役立つといいます。

ＥＴ革命による社会の変革はＡＩＥＶだけにとどまらず、人々は無理な我慢や倹約などをすることなく、快適に暮らせるようになるというのです。このような、環境と経済と便利さの3つの課題を同時に解決できる時代が、ＡＩＥＶを中心とした技術革新によって訪れることを、吉野さんは映像を交えて説明しました。そして吉野さんは次の言葉でスピーチを締めくくりました。

「これは私から世界へのメッセージです。すべての分野の技術革新は、持続可能な社会を近い将来に実現させることができます。リチウムイオン電池がその中心的な役割を果たすでしょう」

講演はすべて英語で行なわれ、終了後、会場からは大きな拍手が送られ続けました。

吉野さんが開発したリチウムイオン電池ですが、家庭用のリチウムイオン蓄電池普及のカギを握るのが価格です。しかし、ここでも大きな変化が起きています。２０１９年10月、米国の電気自動車メーカーであるテスラは、家庭用リチウムイオン蓄電池「パワーウォール」を、2020年春から日本で発売すると発表しました。「パワーウォール」の販売価格は13・5キロワットアワーで99万円と国内メーカーの約半額です。この黒船の登場が家庭用蓄電池の低価格化と普及を推し進めると見られています。

また、電力業界でも変化は始まっています。

東京電力パワーグリッド（東京電力ホールディングスの一般送配電事業会社）は2019年5月、千葉方面において送電線の空き容量が足りないとして受け入れられないケースが相次いでいた再生可能エネルギーなどで発電される電気を、利用が混雑する時には発電を制御することを条件に、ネットワークへの連系を可能とする新しい試みを発表しました。

さらに電力会社以外にも新たな動きが始まりました。NTTは2019年11月、全国におよそ7300ある固定電話局を活用し、災害の際に地域の工場や病院などに電気を供給する事業を始めることを明らかにしました。2020年度から6000億円を投資して、各地に太陽光や風力、バイオマスといった再エネの自立型電源を整備し、自社ビルの空きスペースには蓄電池を順次配備して、工場などに自前の配電網も活用し電力を供給するということです。

二酸化炭素をどのように減らして温暖化を食い止めるのか、それは世界はもちろん、温暖化による自然災害と隣り合わせにある日本が抱えている大きな課題です。その課題を解決する答えになり得るのが、二酸化炭素を排出しない太陽光や風力、水力、地熱、バイオマスなど再生可能エネルギーと共生する社会なのです。

ここで大切なのは、自然を破壊しない、自然と共生するという観点です。山を伐り開き森林を破壊するようなメガソーラーの建設は、各地で住民による反対運動が起き大きな問題になっています。2019年の台風15号では、千葉県でダム湖に設置された水上メガソーラーが火災を起こしました。こうした、太陽光パネルの安全対策も進めなくてはなりません。

私が本書でご紹介した、各地に広がっている新しい社会は、自然に負荷をかけず自然と共生する、再エネを中心とした循環型社会です。大前提になるのは、自然に感謝した上で自然の恵みを享受するという持続可能な社会なのです。

再生可能エネルギー大国日本が動きだす

前述の通り、日本は再生可能エネルギー大国になるポテンシャルがあります。その本当の実力はこれから花開くはずです。

日本は世界で4番目に活火山の多い火山大国ですが、裏を返せば莫大な地熱資源を持つ地熱大国であるということ。JOGMEC（石油天然ガス・金属鉱物資源機構）によれば、日本には世界第3位の地熱資源量があるとされています。ただ、地熱の発電設備容量で見ると、日本は世界第10位（2015年）まで後退しています。日本の地熱エネルギーは十分に利用されておらず、まだまだ発展できる可能性があるのです。

それだけではありません。日本は周囲を海に囲まれた海洋国家です。鹿児島県では、列島の南を流れる黒潮のエネルギーを利用した海流発電の実証実験も始まりました。

この海を活かすという点で、そのポテンシャルの大きさから、2020年以降特に有望視されているのが、海上で行なう風力発電「洋上風力発電」です。2019年4月に再エネ海域利用法が施行され、12月には改正港湾法が公布されました。こうした法整備により、風力発電事業者は、一般海域でも港湾区域でも30年間占用して洋上風力発電事業に取り組むことが可能になりました。

日本風力発電協会によれば、政府が示した2030年度のエネルギーミックスの風力発電全体の目標値1000万キロワット（電源構成の1・7％）は低すぎる設定で、洋上風力だけでその発電量は達成可能になり、陸上風力も合わせれば、2030年度時点で政府案の3・6倍に相当する3620万キロワットを協会の導入目標値としています。実は2019年9月末時点で、国内の風力発電実績導入量と環境アセス中の案件の設備容量を合わせると、すでに2030年度の政府目標値の3倍以上にあたる約3200万キロワットに達しているそうです。政府の

2030年目標は、10年後を待たず、2020年以降の早い時期には達成する見込みだといいます。日本では全発電量に占める風力発電の割合は、2017年度に0・6%と太陽光発電の約9分の1という極めて少ない値ですが、欧州ではむしろ風力発電は、太陽光と並んで再エネの主力の地位を占めています。つまり、日本の風力発電は海外に比べて出遅れている分、これからの伸びしろが大きく、周囲をすべて海に囲まれた日本では洋上風力発電が特に大きく伸びていくと期待されているのです。

経済産業省と国土交通省は、洋上風力発電を優先的に整備する促進区域の指定に向け、秋田県能代市・三種町・男鹿市沖、秋田県由利本荘市沖、千葉県銚子市沖、長崎県五島市沖の4か所を有望としていて、2019年12月に長崎県五島市沖が初の促進区域に指定されました。洋上風力発電は、風車の基礎・タワー・ブレードなどの製造や工事用船舶の新造、メンテナンス、拠点港の整備といった新しい産業が巨大サプライチェーンとして形成され、部品の輸送などの効率性から、洋上風力が導入される近隣の地域に新産業が集積される傾向が高いとされています。日本風力発電協会によれば、1000万キロワットの洋上風力発電が2030年までに導入されれば、直接投資は5兆~6兆円、経済波及効果が13兆~15兆円（いずれも2030年までの累計）、雇用創出効果が8万~9万人（2030年時点）にもなるといいます。また発電コストも、量産化が進めば8~9円／キロワットアワーが実現可能だといい、価格競争力を持った安価な国産エネルギーとなり得るのです。

欧州に比べて遠浅の海が少なく、水深が50メートル以上の深い海に囲まれた日本では、海上に浮かぶ風力発電「浮体式洋上風力発電」の開発が進められています。２０１８年2月、私は福島沖の浮体式洋上風力発電実証事業を取材しました。浮体式洋上風車は水深が１２３メートルの海にそびえ立ち、波を受けてもほとんど揺れることなく安定した状態で浮かんでいました。案内してくれた漁船の船長によれば、浮体式風力発電を支える鎖には藻がついて、そこに魚が集まってくるため、洋上風車の周辺はいい漁場になるそうです。

２０２０年12月、政府は洋上風力発電について、２０３０年までに１０００万キロワット、２０４０年までに３０００万から４５００万キロワット分の導入を目指す方針をまとめました。原発1基が出力１００万キロワットほどですから、最大で原発45基分もの洋上風力が20年後までに誕生することになります。洋上風力は再エネの主力にもなり得るのです。

そして日本は、世界的に見ても降水量が多く山が高いという、水力発電に適した国です。元国土交通省河川局長で、数々のダム建設に携わってきた竹村公太郎氏は、２０１８年2月、私たちのインタビューで「国のダムで、本当の発電を目的としたものはざっくり言って半分ぐらいかなと思ってます。地方公共団体のダムはもっと少なくて、3分の1ぐらいしか発電機が付いておらず、あとの3分の2は発電機がないんです。現在、水力の全発電量に占める割合は

9%台ですけど、国の総力を挙げてすべてのダムに発電機を付け、ダムの運用変更やかさ上げ工事など様々な工夫をすれば、既存のダムを利用するだけで、(全発電量における水力発電の)占有率を30%ぐらいに上げられると考えています」と指摘しました。中小水力発電を含む水力発電の増強によって、年間2兆~3兆円に相当する国産エネルギーが生まれるというのです。

2018年2月、私は洪水対策と工業用水の確保を目的に造られた、福島県営四時(しとき)ダムを取材しました。このダムにはそれまで発電機が付いていませんでしたが、新たに発電機を設置して、小水力発電を始めていたのです。設置した場所は、ダムの水位を保つために一年中水を流している放水路でした。新たに取り付けられた発電機はコンパクトですが、約760世帯分の発電量があるのです。

再エネを中心とした循環型社会が各地に

北海道下川町では、豊富な森林資源を活かしたバイオマスボイラー導入などによるバイオマス産業都市が構築されています。

福岡県みやま市は、太陽光発電などによるエネルギー地産地消と循環型社会構築に取り組んでいます。

群馬県川場村と東京都世田谷区は自然エネルギー活用の連携・協力協定を結び、川場村産の再エネ電気を世田谷区民が購入できる仕組みが作られました。

北海道鹿追町では、家畜の糞尿を集中型のバイオガスプラントで処理し、メタンガスをエネルギーとして活用。さらにバイオガスから水素を製造し、燃料電池により電気・熱の供給を行なうなどの低炭素水素サプライチェーンモデルの構築実証事業も始まっています。

青森県平川市では、木質バイオマス発電にリンゴの剪定で発生する枝が使用され、発電の際に生まれる熱でミニトマトの生産が行なわれています。

私がかつて取材した熊本県わいた温泉では、小規模の地熱発電で村民に収入と雇用がもたらされ、余熱でパクチーとバジルが生産されています。

市民レベルでも草の根の自然エネルギーの活用は拡大しています。大阪では、NPO団体を中心に「ベランダ発電」が静かな広がりを見せているといいます。家庭の主婦が、自作した1メートル弱の太陽光発電機を、まるで布団を干すようにベランダに出して発電し、自動車用の鉛バッテリーにつないで充電して使っています。この機械の製作に必要な装置はネットで購入。材料費は3万~5万円で、ベランダに洗濯物と一緒に一日干して充電すると、その電気でテレビを最長で5時間ほど視られるそうです。主婦の一人は、南海トラフ地震など災害時に役立つと考えていて、実際、２０１８年に関西を襲った台風21号で地域が停電した際に、このベランダ発電機でスマホが充電できるなど効果を発揮したそうです。

この大阪の主婦たちにベランダ発電のアイデアを提供したのは、鹿児島県の山中で電気も水道も引かない完全オフグリッド生活を家族４人で送る、テンダーさんと呼ばれている30代の男性でした。２０１９年1月、私は鹿児島県の山中のご自宅でテンダーさんにお会いしました。テンダーさんは、様々なアイデアを駆使して自然と共生する暮らしを送り、12歳でも太陽光発電機を作れるという内容の本『わがや電力』を、自ら出版者になりネットで販売するなどしていました。その本の読者が大阪の市民にまで広がり、影響を与えていたのです。

一方、２０１８年8月に取材した伊豆にお住まいのご夫婦は、ご主人が電気工事士の資格を取り、自宅の広大な庭に太陽光パネルを設置。倉庫に鉛バッテリーを自分で整備、屋根には太陽熱温水器を置いて、エアコン、冷蔵庫、炊飯器など一式の家電を使いながら、電気代は月に基本料金数百円のみという、電気代格安生活を送っています。電線はつながっていますが、あくまでもバックアップ用として利用しているそうです。

そして福島でも、再生可能エネルギーと共生する動きが加速しています。

２０１８年2月、福島第一原発から南に12キロ、福島県富岡町を私は取材しました。富岡町では、元は水田だったという土地に11万枚の太陽光パネルが設置され発電を始めていました。

発電の規模は約3万キロワット、一般家庭9100世帯をまかなえます。富岡町では避難指示が解除され、復興と農地の有効活用を目指し、市民の出資も受けてこのプロジェクトを2015年にスタートさせていました。この電気は変電所を通して首都圏に送られています。かつて原子力発電所と共生した町が、再生可能エネルギーと共生する町に生まれ変わり、新たなエネルギーを首都圏へと送り続けていたのです。

原発の被害を受けた福島県では、再生可能エネルギー先駆けの地として、2040年のエネルギー需要の再エネ比率100%を目指して、太陽光、陸上・洋上風力、水力、小水力、地熱、バイオマスなどほぼすべての再生可能エネルギーを駆使した様々な取り組みが進められています。

2018年度の福島県のエネルギー需要に対する再生可能エネルギー導入量は31・8%となり、福島県内の電力消費量に占める再エネの割合は77・1%と非常に高い水準に達しています。

環境と経済から再エネにシフトする巨大な潮流

こうした再生可能エネルギーを中心とした地域の挑戦は、ここには書ききれないほど、日本各地で次々と始まっています。それは、今世界の主要国で起きているエネルギーシフトの潮流に重なってきます。

２０２０年、日本政府も重い腰を上げました。7月3日、梶山弘志経済産業大臣は、日本にある低効率な石炭火力発電所を、２０３０年をめどに休廃止していく考えを表明しました。国内の石炭火力発電所約１４０基のうち、高効率の石炭火力発電所は使い続けるものの、発電効率の悪い１００基ほどを休廃止する方針を打ち出したのです。

さらに、7月9日には、小泉進次郎環境大臣が、石炭火力発電所の新たな輸出を日本政府は今後支援しないことを原則とすると発表しました。これまで日本政府は、東南アジアなど新興国に高効率な石炭火力発電の技術を輸出してきました。しかし今後は、「エネルギーを取り巻く状況・課題や脱炭素化に向けた方針を知悉（ちしつ）していない国に対しては、政府としての支援を行なわないことを原則とする」とし、エネルギー安全保障と経済性の観点から石炭を選ばざるを得ない国や、日本の高効率石炭火力の要請があった場合でも、相手国の脱炭素化への政策転換を把握することを前提にするとして、輸出要件を厳格化したのです。

また、12月に政府が発表したグリーン成長戦略では、２０５０年の脱炭素社会実現に向け、水素やアンモニアによる発電や、二酸化炭素を回収するＣＣＳ、二酸化炭素を回収・再利用するＣＣＵＳという機能の付いた火力発電を前提にするよう、技術開発を進めていく方針などが示されました。
しかし、高効率とはいえ石炭火力を使い続ける日本は、先進国の中では異質の存在です。

欧州ではさらに、脱石炭の流れが強まっています。石炭火力発電は化石燃料で最も安いという発電コストの競争力から、世界各国でこれまで大量に使用されてきました。しかし、再生可能エネルギーの急速なコストの低下によって、欧州ではすでに新規発電所における石炭火力の発電コストよりも再エネのコストの方が安くなり、石炭火力のコスト面の優位性が失われています。また石炭はＬＮＧ（液化天然ガス）と比べて二酸化炭素を2倍も多く排出するという大きな欠点もあり、温暖化対策から脱石炭宣言をする国が相次いでいるのです。

イギリス、フランス、ドイツ、イタリア、ベルギー、オランダ、デンマーク、スウェーデン、フィンランド、オーストリア、カナダなど脱石炭宣言国は増え続けています。

米国ではバイデン政権がパリ協定復帰を決めましたが、その米国内でも２０１９年4月に初めて、再生可能エネルギーの発電量が石炭火力の発電量を上回りました。米国での２０１９年の事業用太陽光の発電コストは約5円／キロワットアワー、陸上風力は約4円／キロワットアワーなのに対し、石炭火力は約10円／キロワットアワーと、再エネは石炭火力の半分のコストになっているのです（ブルームバーグＮＥＦのデータを基に、新規発電所の中間値コストで比較。1ドル

＝110円で換算）。トランプ前政権が石炭火力発電を支援しても、コストの面で再生可能エネルギーが優位に立っていたのです。

そして、我が国でも予想を上回るペースで太陽光発電のコスト低下が進んでいます。2019年、事業用太陽光の発電コストは13円／キロワットアワーと、2015年に資源エネルギー庁が公表した石炭火力の発電コスト12・3円／キロワットアワーに迫っています。さらに、資源エネルギー庁は2025年の事業用太陽光発電の価格目標を7円／キロワットアワーとしました。当初の2030年の目標数値が5年も前倒しになったのです。

こうした再エネコストの急激な低下により、石炭火力発電をめぐっては、欧州などで起きているのと同じことが、日本でも数年遅れで起きるという指摘も出てきているのです。

英国を拠点とするシンクタンクのカーボントラッカー、東京大学未来ビジョン研究センター、CDPジャパンが2019年10月に発表した報告書には重要な内容が記されています。それは、日本で新規に建設される石炭火力発電所が今後、再エネ価格のさらなる低下や、気候変動対策の強化などにより、その価値が大きく毀損する「座礁資産」になる恐れがあるというリスクです。

その報告書では、日本の再生可能エネルギーのコストは大きく下がり続け、2023年までに新規の事業用太陽光が、2025年までに新規の陸上風力が、新規の石炭火力のコストよりも安くなる可能性があると予測されています。

つまり、新規の石炭火力発電所は、今はコストが安くても、2025年頃までにはコストの点で優位性を失い、市場での競争力がなくなる恐れがあるというのです。気候変動対策の強化で、規制や炭素税などが導入されることで追加的なコストが生じる可能性もあります。電気を使用する企業も、投資家やサプライチェーンの企業から、再生可能エネルギーを利用するなどして二酸化炭素を排出しないで事業を行なう努力を求められるようになりました。その結果、発電所の経営が立ち行かなくなり、発電所が投資を回収できない「座礁資産」になる恐れがあるというのです。

この報告書の作成に関わった東京大学未来ビジョン研究センターの高村ゆかり教授は、石炭火力発電所をめぐる動きについて次のように話しました。

「2012年以降、日本で約50基の石炭火力発電所の新設計画がありましたが、約4分の1はキャンセルされ、取りやめになったんです。様々な要因が考えられますが、世の中は脱炭素社会に向けて動いているのでこれから規制が厳しくなるかもしれない、炭素税の導入もあるかもしれない、さらに電力の自由化で競争が激しくなって安い価格で電気を売らなければいけないなど、採算性や投資回収の見通しへの懸念が出てきているのではないかと考えられます」

高村教授は、こうした変化の背景を次のように解説します。

「パリ協定の合意を受けて脱炭素社会を目指す動き、環境、社会、企業統治に配慮したＥＳＧ投資の流れが強まっており、銀行など金融機関、投資家の融資、投資の方針も変わりました。２０１８年以降、大手メガバンクや保険会社などから、国内や海外の新規の石炭火力発電には原則投融資をしない、融資を厳格化するという宣言が相次ぎました。商社も脱石炭への動きが続いています。２０１８年から日本でも明らかにお金の流れが変わったのです。

２０１８年の西日本豪雨と関西を襲った台風21号で、合わせて約2兆５０００億円の損害が出ました。国の長期戦略で議論した時にも、気候変動が一因となったと考えられる自然災害の経済損失額が大きくなっていることは戦略の議論の前提でしたし、長期戦略にも入っています。実は、この莫大な損害のうち保険で支払われているのは半分くらいで、それだけでも保険会社は大変なのですが、残りは被災者が自分で払っているか、自治体なり国が払っている可能性が高いと思います。温暖化の損害、損失は本当に深刻です。世界的にもそうですね。人類の福祉を損ねている可能性があるのです」

温暖化の影響とリスクが深刻なものと認識され、金融をはじめとして、脱炭素社会の実現を目指して経済活動や社会の流れが大きく転換し始めているのです。

変革は地方から始まる

２０２０年代を迎え、技術革新が社会を変えていこうとしています。①狩猟社会→②農耕社会→③工業社会→④情報社会に続く人類史上5番目の新しい社会、「ソサエティ5・0」が始まるのです。これは政府が提唱する、来るべき未来社会のコンセプトです。

ソサエティ5・0ではＩｏＴが基本となり、インターネットですべての人とモノがつながり様々な知識や情報が共有され、今までにない新たな価値が生み出されるとされています。人工知能（ＡＩ）やロボット、自動運転技術などのイノベーションは、少子高齢化や人口減少に悩まされてきた地方の追い風になることは間違いありません。

２０２０年春からはスマートフォンなどの5Ｇサービス（第5世代移動通信システム）が始まり、通信速度が格段に速くなりました。5Ｇでは高速大容量に加えて、多数の端末の接続やリアルタイム接続を実現する低遅延性などの特性を活かし、様々な新しいサービスに活用される道が開かれます。例えば、遠隔地からネットを使って会議や商談に参加することも容易になるなど在宅ワークの可能性が広がります。必ずしも出社しなくても仕事ができる職種が増えていくと見られています。その結果、職種によっては毎日出社する必要性も、会社のそばに住む必要性も薄れてきます。これも地方には追い風となるでしょう。

2020年4月には電力改革の総仕上げとして、大手電力会社の送配電部門を分社化する発送電分離が行なわれ、再生可能エネルギー由来の電気がより多く運べることが期待されます。2020年は、様々な分野で新しい社会の幕開けとなり、地方を住みやすい環境に変え、分散型社会がさらに拡大していく可能性が高まるのです。

かつて日本には全国に藩があり、各地域では人々が豊かな自然資源を活かして暮らしていました。そうした個性豊かだった地域には、今でも豊富な自然資源が眠っています。2020年を迎えた今、再エネでその自然資源を最大限に活かし、自然と共生する持続可能な社会への一歩を踏み出せば、かつて豊かな暮らしを送っていた藩が各地に蘇り、地域は少しずつ輝きを取り戻すのではないでしょうか。

若者の価値観も変わり始めました。大企業に就職し、定年まで勤め上げるということこれまでの価値感から、自分が世の中で何をしたいのかということを第一義的に考え、暮らす場所や、所属する企業や団体にはこだわらないという新しい価値観を選ぶ若者が増え始めています。高いマンションを購入してローンに追われ、満員電車に乗りストレスを抱えながらも都会に暮らし続けるという、大量生産・大量消費・大量廃棄時代の東京一極集中の生活スタイルから、日本全国47都道府県や世界を飛び回り、住む場所や企業、団体に縛られることなく、どこにいても自分の中でのチャレンジを続けることに喜びを見いだすという新しい価値感が、若い人を中心に広がり始めているのではないでしょうか。

こうした流れは、地域社会の閉塞感を打ち破る可能性を秘めています。新しい希望にあふれた若者が地方に増えれば、その場所で新しい命が誕生し、人口減少のスピードを少しでも緩和することができるはずです。実際、本書でご紹介した岐阜県石徹白集落や岡山県西粟倉村では、若者の移住が相次ぎ、その土地で子供たちが増え、地域の人口減少が大きく改善されています。その変化を支えているのは、そこにある自然を活かした再生可能エネルギーなのです。

再生可能エネルギーを最大限普及させることで、この国の悲願である国産エネルギーの増産によりエネルギー自給率を高めることができます。資源のない国から資源の豊かな国に生まれ変われるチャンスが訪れたのです。また同時に、再エネの普及は二酸化炭素の排出量を減らし、世界中で待ったなしのところまで来ている温暖化に立ち向かうことができるのです。

本書でご紹介した各地の改革者は、地域が消滅するかもしれないという絶望的な状況に追い込まれるなかで、背水の陣で大きな決断をし、新しい一歩を踏み出し、地域を救い、流れを大転換させせました。

こうした新しい流れは地方から始まり、すでに全国に広がり始めています。初めは小さな一滴でも、それはやがて大河のように大きな流れとなり、近い将来、この国の形も変えていく可能性を秘めています。歴史を振り返れば、明治維新も、産業革命という世界の潮流から取り残されていた江戸幕府に対する、地方からの変革運動でした。

そして2020年を迎えた今、世界では、AI、IoT、ロボット工学、ブロックチェーン、量子コンピュータ、自動運転、VRなどによる第4次産業革命が進行しています。この時代に社会の基盤となるのは再生可能エネルギーなのです。その再生可能エネルギーが、日本には大量に眠っているのです。

2020年、「再エネ大国 日本」への挑戦はいよいよこれからが本番です。過去は変えられません。しかし、未来は変えられるのです。私は再生可能エネルギー大国日本の未来は明るいと信じています。

この章のまとめ

◉グリーンランドの氷の融解など、世界で温暖化が進んでいる。

◉ノーベル賞受賞者の吉野彰さんは、技術革新により2030年に環境・経済・便利さの3つの課題が同時に解決されることを予想した。

◉洋上風力発電の本格導入が始まり、政府は2030年までに洋上風力発電を原発10基分、2040年までに原発45基分の導入を目指す。

◉水力発電は全ダムに発電機を付け、ダムの運用変更、かさ上げ工事を行ない、中小水力発電もさらに開発するなど総力を結集すれば、全発電量の30%をまかなう潜在力があるという。

◉日本は石炭火力を使い続ける方針だが、欧米では脱石炭の流れが進む。大きな要因は再エネのコスト低減。日本の石炭火力発電所は再エネにコストで逆転され、「座礁資産」になる恐れがあると指摘されている。

◉ AIやロボット、自動運転、5Gなど「ソサエティ5.0」は、人口減少に悩まされる地方に追い風となる。技術革新により東京一極集中の必要性が薄れていく。変革は地方から始まる。

謝辞

土湯温泉町、石徹白集落、西粟倉村、真庭市、宮古島市、睦沢町など本書に登場する各地の方々は、強い意志と柔軟な発想力で、地域を危機から救った人物ばかりです。今回、その方々のインタビューを何度も聞き直し、言葉を文章化する作業は、私にとって発見の連続でした。共通しているのは、しっかりと未来を見据えて勇気を持って新しい一歩を踏み出し、困難な状況に陥っても信念を貫き通しながら、リーダーシップを発揮して周囲を説得し、地域を成功に導いているということです。皆さまにお話を伺えたことは私の貴重な財産となりました。そして、多くの読者にも、大いなる希望を与えてくれたと思います。土湯温泉の加藤さんが言うように、再エネの挑戦は、夢と希望を生むのです。これからも皆さまの挑戦が成功することを心よりお祈り申し上げます。

この謝辞を書いている2020年1月、オーストラリアでは大規模な山火事が続き、28人が亡くなり、コアラなど犠牲になった野生動物の数は10億匹以上と推定されています（1月13日現在）。日本でも異例の暖冬となり、雪不足に悩まされるスキー場が相次いでいます。こうした温暖化の脅威が現実となるなか、欧州連合（EU）は今後10年で、官民で少なくとも1兆ユーロ（約122兆円）を投資し、石炭など化石燃料に依存する域内の国々に対して再生可能エネルギーへの転換を促す支援策などを公表しました。今、世界は温暖化の現実と向き合い、持続可能な社会を実現できる「再エネを中心とした新しい社会」への移行を始めています。温暖化の影響を非常に多く受ける日本も、新たな一歩を踏み出す時なのです。

地道な活動は続けられています。世界には、送電線が引かれておらず、電力にアクセスできない無電化地域に暮らす人々が約11億人いるとされています。パナソニックは、ソーラーランタンという太陽光発電によるポータブルな照明器具を、世界の無電化地域にこれまで10万台以上寄贈してきたといいます。こうした取り組みも、日本の大変立派な貢献だと私は思います。

日本が再エネ大国として持続可能な社会を実現し、地球温暖化に対する取り組みでも世界をリードする存在になってほしいと心の底から願わずにはいられません。なぜなら、ノーベル賞を受賞した旭化成名誉フェローの吉野彰さんをはじめ、それを実現できる人材と技術がこの国には十分に存在するからです。本書でご紹介した各地域の改革者のように、この国全体が、未来を見据え、新たなる道を歩み始めれば、日本はさらに大きく発展できると私は信じています。

今回は私にとって初めての著書となりましたが、テレビのオンエア業務を続けながらの執筆作業は困難を極めました。多くの方々の助けがなければ本書は完成しませんでした。取材に応じてくださった各企業、省庁、専門家の皆さまにお礼を申し上げます。そして、山と溪谷社の岡山泰史さんにはあらゆる場面で助けていただきました。また、様々な情報を教えてくれた日本環境ジャーナリストの会の皆さま、多くの取材現場に同行してくれた田中大輝ディレクターや番組関係者、今回の書籍化を最初から最後まで支え続けてくれたすべての関係者に感謝するばかりです。

読者の皆さま、最後までお付き合いくださいまして本当にありがとうございました。

2020年を迎えた日本が、大いなる明るい未来に進むことを信じ、ここで筆をおきます。

2020年1月　山口　豊

【主な参考図書】

『里山資本主義』（藻谷浩介・NHK 広島取材班　KADOKAWA）
『再生可能エネルギーと地域再生』（諸富 徹　日本評論社）
『水力発電が日本を救う』（竹村公太郎　東洋経済新報社）
『小水力発電が地域を救う』（中島 大　東洋経済新報社）
『ローカルベンチャー』（牧 大介　木楽舎）
『キロワットアワー・イズ・マネー』（村上 敦　いしずえ）
『再生可能エネルギー政策の国際比較』（植田和弘・山家公雄　京都大学学術出版会）
『再エネ革命 日本は変われるか？　「世界」別冊 no.907』（岩波書店）
『わがや電力 12歳からとりかかる太陽光発電の入門書』（テンダー　ヨホホ研究所）
『新たな建築材料CLTとは』（ハウジング・トリビューン編集部　創樹社）

山口　豊（やまぐち ゆたか）

テレビ朝日アナウンサー。「報道ステーション」で10年にわたり、災害現場や温暖化問題の取材を続け、報道アナウンサーとして日本全国はもちろん、世界の自然災害の最前線まで様々な現場を取材してきた。環境省中長期の気候変動対策検討小委員会委員。1967年生まれ、さいたま市出身。

「再エネ大国 日本」への挑戦

2020年3月1日　初版第1刷発行
2021年4月25日　初版第2刷発行

著者　山口 豊＋スーパーJチャンネル土曜取材班
発行人　川崎深雪
発行所　株式会社 山と溪谷社
〒101-0051 東京都千代田区神田神保町1丁目105番地
https://www.yamakei.co.jp/
印刷・製本　株式会社 光邦

●乱丁・落丁のお問合せ先
山と溪谷社自動応答サービス Tel. 03-6837-5018
受付時間 10:00〜12:00、13:00〜17:30（土日、祝日を除く）
●内容に関するお問合せ先
山と溪谷社 Tel. 03-6744-1900（代表）
●書店・取次様からのお問合せ先
山と溪谷社受注センター Tel. 03-6744-1919　Fax. 03-6744-1927

Printed in Japan
ISBN978-4-635-31042-0